No enxame

Dados Internacionais de Catalogação na Publicação (CIP)
(Câmara Brasileira do Livro, SP, Brasil)

Han, Byung-Chul
  No enxame : perspectivas do digital /
Byung-Chul Han ; tradução de Lucas Machado. –
Petrópolis, RJ : Vozes, 2018.

  Título original : Im Schwarm: Ansichten des Digitalen

  6ª reimpressão, 2024.

  ISBN 978-85-326-5851-7

  1. Ensaios filosóficos 2. Filosofia 3. Internet (Rede de computadores) 4. Redes sociais I. Título.

18-17771   CDD-100

Índices para catálogo sistemático:
  1. Filosofia   100

Cibele Maria Dias – Bibliotecária – CRB-8/9427

BYUNG-CHUL HAN
No enxame
Perspectivas do digital

Tradução de Lucas Machado

Petrópolis

© Matthes & Seitz Berlin Verlag, 2013.

Tradução do original em alemão intitulado
Im Schwarm – Ansichten des Digitalen

Direitos de publicação em língua portuguesa – Brasil:
2018, Editora Vozes Ltda.
Rua Frei Luís, 100
25689-900 Petrópolis, RJ
www.vozes.com.br
Brasil

Todos os direitos reservados. Nenhuma parte desta obra poderá ser reproduzida ou transmitida por qualquer forma e/ou quaisquer meios (eletrônico ou mecânico, incluindo fotocópia e gravação) ou arquivada em qualquer sistema ou banco de dados sem permissão escrita da editora.

CONSELHO EDITORIAL

Diretor
Volney J. Berkenbrock

Editores
Aline dos Santos Carneiro
Edrian Josué Pasini
Marilac Loraine Oleniki
Welder Lancieri Marchini

Conselheiros
Elói Dionísio Piva
Francisco Morás
Gilberto Gonçalves Garcia
Ludovico Garmus
Teobaldo Heidemann

Secretário executivo
Leonardo A.R.T. dos Santos

PRODUÇÃO EDITORIAL

Aline L.R. de Barros
Jailson Scota
Marcelo Telles
Mirela de Oliveira
Natália França
Otaviano Cunha
Priscilla A.F. Alves
Rafael de Oliveira
Samuel Resende
Vanessa Luz
Verônica M. Guedes

Editoração: Fernando Sergio Olivetti da Rocha
Diagramação: Sheilandre Desenv. Gráfico
Revisão gráfica: Nilton Braz da Rocha
Projeto de capa: Pierre Fauchau
Arte-finalização: Editora Vozes

ISBN 978-85-326-5851-7 (Brasil)
ISBN 978-3-88221-037-8 (Alemanha)

Este livro foi composto e impresso pela Editora Vozes Ltda.

"As lágrimas jorram, a terra tem-me novamente."

Fausto

Sumário

Prefácio, 9

Sem respeito, 11

Sociedade da indignação, 21

No enxame, 25

Desmediatização, 35

O Hans Esperto, 43

Fuga na imagem, 53

Do agir ao passar de dedos, 59

Do camponês ao caçador, 69

Do sujeito ao projeto, 81

Nomos da Terra, 89

Fantasmas digitais, 95

Cansaço da informação, 103

Crise da representação, 109

De cidadãos a consumidores, 115

Protocolamento total da vida, 121

Psicopolítica, 129

Prefácio

Em vista da rápida ascensão da mídia[1] eletrônica, o teórico de mídias Marshall McLuhan observa, em 1964: "A técnica da eletricidade está, porém, em meio a nós, e nós somos zonzos, surdos, cegos e mudos em seu em-

---

1 Nesta tradução, alternamos entre traduzir o termo alemão *Medium* como mídia ou mantê-lo sem tradução conforme o que parecia mais apropriado segundo o contexto, dado que, em alguns momentos, o autor se refere especificamente às mídias no sentido das tecnologias de comunicação (como a mídia digital), mas, em outros, usa o termo em um sentido mais amplo, enquanto o meio em que algo se dá, o lugar em que algo ocorre, quando fala, por exemplo, do "*medium* do espírito". No último caso, optamos por manter o termo original, uma vez que a tradução por meio poderia levar a uma confusão de sentido, já que meio também significa, em português, o instrumento *por meio* do qual se atinge algo (que seria *Mittel*, e não *Medium*, em alemão). A esse respeito, cf. BENJAMIN, W. *A obra de arte na era de sua reprodutibilidade técnica*. Porto Alegre: Zouk, 2012, nota 18 [Tradução: Francisco de Ambrosis Pinheiro Machado] [N.T.].

bate com a técnica de Gutenberg"[2]. Algo semelhante ocorre com a mídia digital. Somos desprogramados por meio dessa nova mídia, sem que possamos compreender inteiramente essa mudança radical de paradigma. Arrastamo-nos atrás da mídia digital, que, aquém da decisão consciente, transforma decisivamente nosso comportamento, nossa percepção, nossa sensação, nosso pensamento, nossa vida em conjunto. Embriagamo-nos hoje em dia da mídia digital, sem que possamos avaliar inteiramente as consequências dessa embriaguez. Essa cegueira e a estupidez simultânea a ela constituem a crise atual.

---

2 McLUHAN, M. *Die magischen Kanäle* [Os canais mágicos]. Düsseldorf et al., 1968, p. 29.

Sem respeito

Respeito significa literalmente *olhar para trás* [*Zurückblicken*]. Ele é um *olhar de volta* [*Rücksicht*][3]. No trato respeitoso com os outros, controlamos o nosso *observar* [*Hinsehen*] curioso. O respeito pressupõe um olhar distanciado, um *pathos da distância*. Hoje, ele dá lugar a um ver sem distância, caraterístico do *espetáculo*. O verbo latino *spectare*, ao qual espetáculo remonta, é um olhar voyeurístico, ao qual falta a consideração distanciada, o respeito (*respectare*). A distância distingue o *respectare* do *spectare*. Uma sociedade sem respeito, sem o *pathos da distância*, leva à sociedade do escândalo.

---

3 O termo alemão para respeito, *Rücksicht*, é composto pelos termos *Sicht* (vista, visão) e *Rück*, que significa, literalmente, "de volta". Assim, o autor indica que o respeito (*Respekt*), como o seu sinônimo de origem alemão *Rücksicht* indica, seria, literalmente, um "olhar de volta", *Zurückblicken*, uma "vista de volta" ao outro [N.T.].

O respeito é o alicerce da esfera pública. Onde ele desaparece, ela desmorona. A decadência da esfera pública e a crescente ausência de respeito se condicionam reciprocamente. A esfera pública pressupõe, entre outras coisas, um não olhar para a vida privada. A tomada de distância é constitutiva para o espaço público. Hoje, em contrapartida, domina uma falta total de distância, na qual a intimidade é exposta publicamente e o privado se torna público. Sem afastamento [*Ab-Stand*] não é possível também nenhum bom comportamento [*An-Stand*]. Também o entendimento [*Ver-Stand*][4] pressupõe um olhar distanciado. A comunicação digital desconstrói a distância de modo generalizado. A desconstrução da distância espacial acompanha a erosão da distância mental. A medialidade [*Medialität*] do

---

4 O autor faz um jogo de palavras com o fato de que, em alemão, as palavras para afastamento ou distância (*Abstand*), bom comportamento no sentido de comportamento respeitoso, decoro (*Anstand*) e entendimento (*Verstand*), todas contêm o termo *Stand* que, tomado isoladamente, tem, entre outros sentidos, o sentido de estado, posição – ou seja, é preciso tomar "di-stância" para que se possa "estar em posição" de respeitar e de entender o outro" [N.T.].

digital é nociva ao respeito. É justamente a técnica do isolamento e da separação, como em *Adyton*[5], que gera a veneração e a admiração.

A falta de distância leva a que o privado e o público se misturem. A comunicação digital fornece essa exposição pornográfica da intimidade e da esfera privada. Também as redes sociais se mostram como espaços de exposição do privado. A mídia digital como tal *privatiza* a comunicação, ao deslocar a produção de informação do público para o privado. Roland Barthes define a esfera privada como "aquela esfera de espaço, de tempo onde eu não sou uma imagem, um objeto"[6]. Visto desse modo, não teríamos mais hoje qualquer esfera privada, pois não há, agora, nenhuma esfera *em que eu não seria uma imagem*, em que não haveria nenhuma câmera. O Google Glass transforma os olhos humanos, eles mesmos, em uma câmera. *Os olhos mesmos fazem imagens.* Assim,

---

5 *Adyton* é o espaço no templo grego completamente fechado para o lado de fora [N.A.].

6 BARTHES, R. *Die helle Kammer* – Bemerkung zur Photographie [A câmara clara – Nota sobre a fotografia]. Frankfurt a. M., 1985, p. 23.

nenhuma esfera privada é mais possível. A imperiosa coação icônico-pornográfica a desfaz inteiramente.

O respeito está ligado aos *nomes*. Anonimidade e respeito se excluem mutuamente. A comunicação anônima que é fornecida pela mídia digital desconstrói enormemente o respeito. Ela é corresponsável pela cultura de indiscrição e de falta de respeito [que está] em disseminação. Também o *Shitstorm*[7] é anônimo. É nisso que consiste a sua violência. Nome e respeito estão ligados um ao outro. O nome é a base para o reconhecimento, que sempre ocorre de modo *nominal* [*namentlich*]. Também estão ligadas à *nominalidade* [*Namentlichkeit*] práticas como a responsabilidade, a confiança ou a promessa. Pode-se definir a confiança como uma *crença nos nomes*. A respon-

---

7 *Shitstorm*, traduzido tipicamente como "tempestade de indignação", mas que mais literalmente significaria "tempestade de merda", é o termo usado para descrever campanhas difamatórias de grandes proporções na internet contra pessoas ou empresas, feitas devido à indignação generalizada com alguma atitude, declaração ou outra forma de ação tomada por parte delas. Originalmente, o termo em inglês é apenas um disfemismo vulgar para uma situação extremamente desagradável ou caótica [N.T.].

sabilidade e a promessa também são um ato nominal. A mídia digital, que separa a mensagem do mensageiro, o recado do remetente, aniquila o nome.

O *Shitstorm* tem causas múltiplas. Ele é possível em uma cultura de falta de respeito e de indiscrição. Ele é, antes de tudo, um genuíno fenômeno da comunicação digital. Assim, ele se distingue fundamentalmente das cartas de leitores, que estão ligadas às mídias escritas analógicas e que ocorrem de modo expressamente *nominal*. Cartas de leitores anônimas acabam rapidamente no cesto de lixo de redações de jornal. Uma outra temporalidade caracteriza a carta de leitor. Enquanto se a redige esforçadamente a mão ou com a máquina de escrever, a exaltação imediata já desvaneceu. A comunicação digital, em contrapartida, torna uma descarga de afetos *instantânea* possível. Já por conta de sua temporalidade ela transporta mais afetos do que a comunicação analógica. A mídia digital é, desse ponto de vista, uma *mídia de afetos*.

A conexão digital favorece a comunicação simétrica. Hoje em dia, aqueles que tomam parte na comunicação não consomem simplesmente a informação passivamente, mas sim a geram eles mesmos ativamente. Nenhuma hierarquia clara separa o remetente do destinatário. Todos são simultaneamente remetentes e destinatários, consumidores e produtores. Tal simetria, porém, é prejudicial ao poder. A comunicação do poder caminha em uma direção, a saber, de cima para baixo. O *refluxo comunicativo* destrói a ordem do poder. O *Shitstorm* é um tipo de *refluxo*, com todos os seus efeitos destrutivos.

O *Shitstorm* aponta para deslocamentos econômicos e de poder [*machtökonomisch*] na comunicação política. Ele se infla no espaço que é fracamente ocupado pelo poder e pela autoridade. Já em hierarquias planas lançamo-nos no *Shitstorm*. O poder como mídia de comunicação cuida para que a comunicação flua em um sentido. A seleção do curso de ação feita pelos detentores do poder é seguida, por assim dizer, *sem ruídos* pelos subalternos do poder. O ruído ou o barulho é um indício *acústico* do começo da desintegração do poder. Também o *Shitstorm* é um barulho comunicativo. O *carisma*, enquanto expressão aural do poder, seria o melhor escudo de proteção contra *Shitstorms*. Ele não se deixa inflar desde o princípio.

O presente do poder reduz a improbabilidade da aceitação de minha seleção do curso de ação, de minha decisão de vontade por parte de outros. O poder como meio de comunicação consiste em, tendo em vista a possibilidade do Não, aumentar a probabilidade do Sim. O Não é sempre *alto*. A comunicação de poder reduz consideravelmente o ruído e o barulho, ou seja, a entropia comunicativa. Assim, a *palavra de poder* elimina repentinamente o barulho que se infla. Ele produz um *silêncio*, a saber, o *espaço para ações*.

O respeito como meio de comunicação exerce um efeito semelhante ao do poder. A perspectiva ou a seleção do curso de ação da pessoa de respeito é tomada e incorporada frequentemente sem contradição e discordância. A pessoa de respeito é até mesmo imitada como um exemplo. A imitação corresponde à obediência adiantada no caso do poder. Justamente lá, onde o respeito desvanece, surge o *Shitstorm* ruidoso. O respeito se forma por meio da atribuição de valores pessoais e morais. A desintegração generalizada de valores faz com que a cultura do respeito eroda. Os exemplos [de pessoa] atuais são livres de valores interiores. São qualidades exteriores antes de tudo que os caracterizam.

O poder é uma relação assimétrica. Ele fundamenta uma relação hierárquica. O poder de comunicação não é dialógico. Diferentemente do poder, o respeito não é necessariamente uma relação assimétrica. Sente-se, de fato, frequentemente respeito por pessoas exemplares ou por superiores, mas o respeito *recíproco*, que se baseia em uma relação simétrica de reconhecimento, é fundamentalmente possível. Assim, mesmo um detentor de poder pode ter respeito por um subalterno do poder. O *Shitstorm* atualmente em expansão por todos os lugares aponta para o fato de que vivemos em uma sociedade sem respeito recíproco. O respeito exige distância. Tanto o poder como o respeito são meios de comunicação produtores de distância e distanciadores.

Em vista do *Shitstorm*, será preciso também redefinir a soberania. É soberano, segundo Carl Schmitt, quem decide sobre o estado de exceção. Pode-se traduzir essa proposição da soberania para o acústico. Soberano é quem consegue produzir um *silêncio absoluto*, eliminar todo barulho, trazer todos ao silêncio de um golpe só. Schmitt não pôde ter nenhuma experiência da conexão digital. Ela certamente o teria feito cair em uma crise total. É conhecido que Schmitt teve medo de ondas por toda sua vida. *Shitstorms* também são um tipo de onda que escapa a todo controle. Pelo medo de ondas, Schmitt também teria removido de sua casa o rádio e a televisão. Ele se viu até mesmo levado, em vista das ondas eletromagnéticas, a reformular a sua famosa proposição da soberania: "Depois da Primeira Guerra Mundial, eu disse: 'É soberano quem decide sobre o estado de exceção'. Depois da Segunda Guerra Mundial, [estando] diante da minha morte, digo agora: 'É soberano quem dispõe das ondas do espaço"'[8]. Depois da revolução digital, precisaremos reformular novamente a proposição de Schmitt: *É soberano quem dispõe do* Shitstorm *da rede.*

---

[8] LINDER, C. *Der Bahnhof von Finnentrop* – Eine Reise ins Carl Schmitt Land [A estação de Finnentrop – Uma viagem à terra de Carl Schmitt]. Berlim, 2008, p. 422s.

Sociedade da indignação

As ondas de indignação são eficientes em mobilizar e compactar a atenção. Por causa de sua fluidez e volatilidade elas não são, porém, apropriadas para organizar o discurso público, a esfera pública. Elas são incontroláveis, incalculáveis, inconstantes, efêmeras e amorfas demais para tanto. Elas se inflam repentinamente e se desfazem de maneira igualmente rápida. Nisso, elas se assemelham aos *Smart Mobs*[9]. Falta a elas a estabilidade, a constância e continuidade que seriam indispensáveis para o discurso público. Desse modo, elas não

---

9 *Smart Mobs*, que em português se traduziria para algo como "Multidões Espertas", são grupos de pessoas capazes de se mobilizarem e se organizarem rapidamente e de modo coordenado por meio de tecnologias digitais de comunicação. O conceito foi introduzido em 2002 por Howard Rheingold em seu livro *Smart Mobs: The Next Social Revolution* [*Smart Mobs*: A próxima Revolução Social]. [N.T.]

se deixam integrar em uma unidade discursiva. As ondas de indignação surgem frequentemente em vista de acontecimentos que têm muito pouca relevância social ou política.

A sociedade da indignação é uma sociedade do escândalo. Ela não tem *contenance*, não tem compostura. A desobediência, a histeria e a rebeldia – que são características das ondas de indignação – não permitem nenhuma comunicação discreta e factual, nenhum *diálogo*, nenhum *discurso*. A *compostura*, porém, é constitutiva para a esfera pública. A distância, porém, é necessária para formação da esfera pública. As ondas de indignação indicam, além disso, uma identificação fraca com a comunidade. Desse modo, elas não formam nenhum *Nós* estável, que apresentasse uma *estrutura de zelo pela sociedade como um todo*. Também o zelo do assim chamado cidadão enraivecido não é [um zelo] por toda a sociedade, mas sim, em larga medida, um *zelo por si mesmo*. Por isso, ele se desfaz de novo rapidamente.

A primeira palavra da *Ilíada* é *menin*, a saber, a cólera [*Zorn*]. "*Cantem, deusas, a cólera de Aquiles, filho de Peleus*", assim começa a primeira narrativa da cultura ocidental. A cólera é, aqui, *cantável*, porque ela suporta, estrutura, anima, aviva e dá o ritmo da narrativa da *Ilíada*. Ela é pura e simplesmente *o meio de ação heroico*. A *Ilíada* é um *canto da cólera*. Essa cólera é narrativa, épica, porque ela produz determinadas ações. Nisso, a cólera se distingue fundamentalmente da raiva como afeto das ondas de indignação. A indignação digital não é *cantável*. Ela não é capaz nem de [levar à] ação, nem de [levar à] narrativa. Ela é, antes, um *estado* afetivo, que não desenvolve nenhuma força com poder de ação. A desintegração generalizada que caracteriza a sociedade de hoje não deixa surgir a energia épica da cólera. A fúria [*Wut*] no sentido empático é mais do que um estado afetivo. Ela é uma capacidade de interromper um estado existente e permitir que um novo estado comece. Assim, ela produz o futuro. A massa de indignação [*Empörungsmasse*] atual é extremamente fugidia e dispersa. Falta a ela a *massa* [*Masse*], a gravitação que é necessária para ações. Ela não gera nenhum futuro.

No enxame

Em *Psicologia das Massas* (1895) o psicólogo das massas Gustave Le Bon define a Modernidade como a "Era das Massas". Ela formaria um daqueles momentos críticos no qual o pensamento humano estaria prestes a se transformar. O presente seria um "período da transição e da anarquia". A sociedade futura terá de contar, em sua organização, com uma nova força, a saber, a força das massas. Assim, ele assevera laconicamente: "A era na qual nós entramos será, em verdade, a *Era das Massas*"[10].

Le Bon vê o legado da ordem da soberania ruir. Agora, a "voz do povo" conseguiu a preponderância. As massas fundaram "sindica-

---

10 LE BON, G. *Psychologie der Massen* [Psicologia das Massas]. Stuttgart, 1982, p. 2.

tos aos quais todos os detentores do poder se submetem, bolsas de trabalho que, desafiando todas as leis econômicas, tentam regular as condições de trabalho e de salário"[11]. Os representantes no parlamento seriam apenas seus servos. A massa aparece para Le Bon como um fenômeno da nova relação de soberania. O "direito divino das massas" substituiria o direito divino do rei. Para Le Bon, a insurgência das massas leva tanto à crise da soberania como ao declínio da cultura. As massas seriam, segundo Le Bon, "destruidoras da cultura". Uma cultura se apoiaria em "condições para as quais as massas, deixadas a si mesmas," seriam "completamente inacessíveis"[12].

Claramente, encontramo-nos hoje novamente em uma crise, em uma transição crítica, pela qual uma outra revolução, a saber, a revolução digital, parece ser responsável. Mais uma vez, uma formação dos muitos ameaça uma relação de poder e de soberania. A nova massa é o *enxame digital*. Ela apresenta pro-

---

11 Ibid., p. 3.

12 Ibid., p. 5.

priedades que a distinguem radicalmente da clássica formação dos muitos, a saber, da *massa*.

O enxame digital não é nenhuma massa porque, nele, não habita nenhuma *alma* [*Seele*], nenhum *espírito* [*Geist*]. A alma é aglomerante e unificante. O enxame digital consiste em indivíduos singularizados. A massa é estruturada de um modo inteiramente diferente. Ela revela propriedades que não podem ser referidas aos indivíduos. Os indivíduos se fundem em uma nova unidade, na qual eles não têm mais nenhum *perfil próprio*. Um aglomerado contingente de pessoas ainda não forma uma massa. É primeiramente uma alma ou um espírito que os funde em uma massa fechada e homogênea. Uma alma de massa ou um espírito de massa falta inteiramente ao enxame digital. Os indivíduos que se juntam em um enxame não desenvolvem nenhum *Nós*. Não lhes caracteriza nenhuma consonância que leve a massa a se unir em uma massa de ação. O enxame digital, diferentemente da massa, não é em si mesmo coerente. Ele não se externa como uma *voz*. Também falta ao *Shitstorm* a uma voz. Por isso ele é percebido como *barulho*.

Para McLuhan, o *homo eletronicus* é um ser humano de massa: "O ser humano de massa é o habitante eletrônico do globo e ligado ao mesmo tempo com todos os outros seres humanos, como se ele fosse um espectador em um estádio global. Assim como o espectador em um estágio é um ninguém, o cidadão eletrônico é um ser humano cuja identidade privada foi psiquicamente dissolvida por meio da solicitação excessiva"[13]. O *homo digitalis* ["homem digital"] é tudo, menos um "ninguém". Ele preserva a sua identidade privada, mesmo quando ele se comporta como parte do enxame. Ele se externa, de fato, de maneira anônima, mas via de regra ele tem um *perfil* e trabalha ininterruptamente em sua otimização. Em vez de ser "ninguém", ele é um *alguém* penetrante, que se expõe e que compete por atenção. O ninguém do meio de massas, em contrapartida, não reivindica nenhuma atenção para si mesmo. A sua identidade privada é

---

13 McLUHAN, M. *Wohin steuert die Welt?* – Massenmedien und Gesellschaftstruktur [Para onde vai o mundo? – Mídias de massa e estrutura da sociedade]. Viena et al., 1978, p. 174.

dissolvida. Ele é absorvido pela massa. É nisso que também consiste a sua fortuna. Ele não pode ser *anônimo*, pois ele é um *ninguém*. O *homo digitalis*, em contrapartida, apresenta-se frequentemente, de fato, anonimamente, mas não é um *ninguém*, mas sim alguém, a saber, um *alguém anônimo*.

O mundo do *homo digitalis* aponta, além disso, para uma topologia completamente diferente. São estranhas a ele espacialidades como estádios ou anfiteatros, ou seja, lugares de reunião de massas. Elas pertencem à topologia das massas. O habitante digital da rede não se reúne. Falta a ele a *interioridade da reunião* que produziria um *Nós*. Eles formam um especial *aglomerado sem reunião*, uma *massa* [*Menge*] sem interioridade, sem alma ou espírito. Eles são, antes de tudo, *Hikikomori*[14] isolados para si, singularizados, que apenas se sentam diante da tela. Mídias eletrônicas como o rádio

---

14 Termo japonês que se refere de modo geral a pessoas entre 15 a 39 anos que, visando evitar o contato com outras pessoas, removem-se inteiramente da sociedade. De fato, o termo em japonês *Hikikomori* significa, literalmente, "isolado em casa" [N.T.].

reúnem pessoas, enquanto as mídias digitais as singularizam.

Os indivíduos digitais se formam ocasionalmente em aglomerados como, por exemplo, em *Smart Mobs*. Os seus *paradigmas coletivos de movimento* são, porém, como dos animais que formam enxames, muito efêmeros e instáveis. A volatilidade se destaca. Além disso, eles frequentemente passam uma impressão de serem carnavalescos, lúdicos e descompromissados. Nisso o enxame digital se distingue da massa tradicional, que, como a massa de trabalho, não é volátil, mas sim dotada de vontade [*voluntativ*] e não constitui um *paradigma efêmero*, mas sim *formações firmes*. Com uma alma, unida por uma ideologia, *ela marcha em uma direção*. Por causa de sua decisão e de sua firmeza dotadas de vontade, ela também é capaz do *Nós*, da *ação comum*, que consegue atacar frontalmente a relação de poder existente. É primeiramente a massa decidida a uma ação comum que gera o poder. *A massa é o poder*. Falta aos enxames digitais essa decisão. Eles não *marcham*. Eles se dissolvem de maneira tão rápida quanto surgiram. Por causa dessa efemeridade, eles não desenvolvem nenhuma energia política. *Shitstorms* igualmente não estão em condições de colocar em questão a *relação de poder* dominante. Eles se lançam apenas a *pessoas* individuais, embaraçando-as ou escandalizando-as.

Segundo Michael Hardt e Antonio Negri, a globalização desenvolve duas forças opostas. De um lado, ela erige uma ordem de domínio capitalista descentralizada, desterritorializada, a saber, o "Império". De outro lado, ela produz uma assim chamada "Multidão", uma composição de singularidades que se comunicam por meio da rede e agem conjuntamente. Ela se opõe, no interior do Império, ao [próprio] Império.

Hardt e Negri constroem o seu modelo teórico com base em categorias historicamente ultrapassadas, como classe ou luta de classes. Assim, eles definem a "multidão" como uma classe que é capaz de um agir conjunto: "Em uma primeira aproximação, a multidão deve ser compreendida como composição de todos aqueles que trabalham sob o domínio do capital e, por isso, potencialmente como a classe que resiste ao domínio do capital"[15]. A violência que parte do Império é interpretada como a violência da *exploração alheia*: "A massa (Multidão) é a verdadeira força produtiva do mundo social, enquanto o Império é um aparato de exploração que vive da força vital da massa – ou, para dizer tomando empréstimo a Marx, um regime de acumulação do trabalho morto, que apenas sobrevive pelo fato de que ele suga, como um vampiro, o sangue dos vivos"[16]. O discurso de classe só faz sentido no interior de uma pluralidade de classes. A multidão, porém, é uma classe *única*. *Todos* que fazem parte do sistema capitalista pertencem a ela. O Império não é uma classe dominante que explora a multidão, pois, hoje em dia, explora-se a si mesmo, mesmo que se pense se encontrar em liberdade. O sujeito produtivo

---

[15] HARDT, M. & NEGRI, A. *Multitude* – Krieg und Demokratie im Empire [Multidão – Guerra e democracia no império]. Frankfurt a. M., 2004, p. 124.

[16] HARDT, M. & NEGRI, A. *Empire* – Die neue Weltordnung [Império – A nova ordem mundial]. Frankfurt a. M., 2003, p. 75.

de hoje é ofensor e vítima simultaneamente. Claramente, Negri e Hardt não conhecem essa lógica da *autoexploração*, que é muito mais eficiente do que a exploração alheia. *Ninguém* domina verdadeiramente no Império. Ele representa o sistema capitalista ele mesmo, que se estende a *todos*. Assim, é possível, hoje, uma exploração sem dominação.

O sujeito econômico neoliberal não forma nenhum "Nós" capaz de um agir conjunto. A egotização crescente e a atomização da sociedade leva a que os espaços para o agir conjunto encolham radicalmente e impede, assim, a formação de um contrapoder que pudesse efetivamente colocar em questão a ordem capitalista. O *socius* ["social"] dá lugar ao *solus* ["sozinho"]. Não a multidão, mas sim a *solidão* caracteriza a constituição social atual. Ela é abarcada por uma desintegração generalizada do comum e do comunitário. A solidariedade desaparece. A privatização avança até a alma. A erosão do comunitário torna um agir comum cada vez mais improvável. Hardt e Negri não tomam conhecimento desse desenvolvimento e invocam uma revolução comunista da multidão. O seu livro conclui com uma idealização romântica do comunismo: "Na Pós-modernidade nos encontramos novamente na mesma situação de Francisco de Assis, e contrapomos, à miséria do poder, a alegria pelo ser. Nenhum poder poderá controlar essa revolução – pois biopoder e comunismo, cooperação e revolução permanecem unidos no amor, na simplicidade e também na inocência. Aí se mostra a leveza que não pode ser oprimida e a felicidade de ser comunista"[17].

---

17 Ibid., p. 420.

Desmediatização

A mídia digital é uma mídia da *presença*. A sua temporalidade é o presente imediato. A comunicação digital se caracteriza pelo fato de que informações são produzidas, enviadas e recebidas sem mediação por meio de intermediários. Elas não são dirigidas e filtradas por meio de mediadores. A instância intermediária interventora é cada vez mais dissolvida. Mediação e representação são interpretadas como não transparência e ineficiência, como congestionamento de tempo e de informação.

Uma mídia eletrônica de massa clássica como o rádio só permite uma comunicação unilateral. Por causa de sua estrutura anfiteatral, nenhuma interação é possível. A sua transmissão *radioativa*, por assim dizer, permanece sem reflexão. Ela sempre transmite em uma [única] direção. O destinatário da mensagem é condenado à passividade. A rede aponta para uma topologia completamente diferente da do anfiteatro, o qual tem um *meio transmissor*. Esse meio se exterioriza também como instância do poder.

Hoje não somos mais destinatários e consumidores passivos de informação, mas sim remetentes e produtores ativos. Não nos contentamos mais em consumir informações passivamente, mas sim queremos produzi-las e comunicá-las ativamente nós mesmos. Somos simultaneamente consumidores e produtores. Esse duplo papel aumenta enormemente a quantidade de informação. A mídia digital não oferece apenas uma janela para o assistir passivo, mas sim também portas através das quais passamos informações produzidas por nós mesmos. *Windows*[18] são *janelas com portas*, que se comunicam com outras *Windows* sem espaços ou instâncias intermediárias. Por meio de *Windows* não lançamos o olhar apenas a um espaço público, mas sim

---

18 Aqui, o autor faz um jogo de palavras com o nome do sistema operacional Windows, cujo nome, em inglês, significa "janelas" [N.T.].

a outras *Windows*. Nisso as mídias digitais se distinguem das mídias de massa como o rádio ou a televisão. Mídias como blogs, Twitter ou Facebook desmediatizam [*entmediatisieren*] a comunicação. A sociedade de opinião e de informação de hoje se apoia nessa comunicação desmediatizada. Todos produzem e enviam informação. A desmediatização da comunicação faz com que jornalistas, esses antigos representantes elitistas, esses "fazedores de opinião" e mesmo *sacerdotes da opinião*, pareçam completamente superficiais e anacrônicos. A mídia digital dissolve toda classe sacerdotal. A desmediatização generalizada encerra a época da *representação*. Hoje, todos querem estar eles mesmos diretamente *presentes* e *apresentar* a sua opinião sem intermediários. A representação recua frente à *presença* ou à *copresentação* [*Kopräsentation*].

A crescente pressão de desmediatização também se estende à política. Ela ameaça a democracia representativa. Os representantes políticos apresentam-se não como transmissores, mas sim como barreiras. Assim, a desmediatização se manifesta como exigência por mais participação e transparência. É justamente a esse desenvolvimento medial que os partidos piratas devem o seu sucesso inicial. A crescente compulsão por *presença* que a mídia digital produz ameaça o princípio universal da *representação*.

A representação frequentemente funciona como um filtro que produz um efeito muito positivo. Esse filtro atua seletivamente e torna o *exclusivo* possível. Com um programa rigoroso, editoras, por exemplo, produzem formação espiritual e cultural. Elas cultivam a linguagem. Jornalistas até mesmo colocam a sua vida em jogo para escrever relatos qualificados. A desmediatização, em contrapartida, leva, em muitos âmbitos, a uma *massificação*. Linguagem e cultura se achatam. Elas se tornam vulgares. A autora americana de sucesso Bella Andre comenta: "Posso botar para fora rapidamente meus livros. Não preciso primeiro convencer meus agentes de minhas ideias. Posso escrever exatamente o livro que os meus leitores querem. Eu sou os meus leitores"[19].

---

19 *Die Zeit*, 23/08/2012.

Não há nenhuma diferença entre "eu sou meus leitores" e "eu sou meus eleitores". "Eu sou meu eleitorado" significa o fim dos políticos no sentido enfático, a saber, daquele político que se aferra à sua própria posição e que, em vez de ceder ao seu eleitorado, os *ante*cede com uma visão. O *futuro*, enquanto tempo do político, desaparece.

A política como agir estratégico carece de um poder de informação, a saber, de uma soberania sobre a produção e a distribuição de informação. Por isso ela não pode abdicar daqueles espaços fechados nos quais informações são conscientemente retidas. A confiabilidade pertence necessariamente à comunicação política, ou seja, estratégica. Se tudo se tornar imediatamente público, a política se torna, desse modo, inevitavelmente de pouco fôlego, de curto prazo, e se dilui em uma enrolação [*Geschwätzigkeit*]. A transparência total força a comunicação política a uma temporalidade que torna impossível um planejamento lento e de longo prazo. Não é mais possível deixar que as coisas *amadureçam*. O futuro não é a temporalidade da transparência. A transparência é dominada pela presença e pelo presente.

Sob a ditadura da transparência, opiniões desviantes ou ideais inabituais não chegam nem mesmo a ter voz. Muito dificilmente se pondera algo. O imperativo da transparência produz uma forte pressão para o conformismo. Ele faz, como a vigilância permanente por câmeras, surgir a sensação de se estar sendo observado. Nisso consiste o seu efeito panóptico[20]. Chega-se, por fim, a uma uniformização da comunicação ou a uma repetição do mesmo: "A observação midiática constante levou a que nós [políticos] não fôssemos livres para discutir abertamente temas ou posições impopulares em um círculo confiável. É que eles precisavam sempre contar com a possibilidade de que houvesse alguém que passasse isso para a mídia"[21].

O autor Dirk von Gehlen, que fez com que um projeto de livro coletivo [chamado] *Uma nova versão está disponível* fosse financiado

---

20 Cf. nota 92 [N.T.]

21 Entrevista com o antigo prefeito de Hamburgo Ole von Beust. *Die Zeit*, 31/01/2013.

por *crowdfunding* ("financiamento coletivo"), reivindica tornar a própria escrita transparente. Mas que tipo de escrita seria essa, que seria completamente transparente? Para Peter Handke, a escrita é uma expedição solitária. Ela irrompe no desconhecido, no não trilhado. Nisso ela se assemelha ao agir ou ao pensamento no sentido enfático. Pensando, Heidegger também se entrega ao não trilhado. O bater de asas de Eros o toca toda vez que ele toma um passo essencial no pensamento e se aventura no não trilhado[22]. A exigência de tornar a própria escrita transparente acaba, na verdade, por se igualar à sua dissolução. Escrever é um fazer exclusivo, enquanto a escrita coletiva e transparente é meramente aditiva. Ela não é capaz da produção do *inteiramente outro*, do *singular*. A escrita transparente apenas reúne informações aditivas. A maneira de proceder do digital é, justamente, a da adição. Tal exigência por transparência vai muito além da participação e da liberdade de informação.

---

22 Carta de Martin Heidegger a sua esposa Elfriede 1915-1970. Munique, 2005, p. 264.

Ela anuncia uma mudança de paradigma. Essa mudança é normativa na medida em que ela dita o que *é* e o que deve *ser*. Ela define um novo *ser*.

Em uma entrevista, Michel Butor atesta uma crise do espírito. Ela também se exterioriza como crise da literatura: "Não vivemos apenas em uma crise econômica, também vivemos em uma crise literária. A literatura europeia está sob ameaça. O que vivenciamos agora na Europa é uma crise do espírito"[23]. À pergunta sobre como ele é capaz de reconhecer essa crise, Butor responde: "Há dez ou vinte anos não acontece praticamente mais nada na literatura. Há uma enchente de publicações, mas [também] um estancamento espiritual. A causa [disso] é uma crise de comunicação. Os novos meios de comunicação são dignos de admiração, mas eles causam um barulho infernal". O *medium* do espírito é o *silêncio*. Claramente, a comunicação digital destrói o silêncio. O aditivo, que produz o barulho comunicativo, não é o modo de proceder do espírito.

---

23 *Die Zeit*, 12/07/2012.

O Hans Esperto

No início do século XX, um cavalo alemão alcançou fama mundial. Supostamente, ele podia fazer contas. Ele se tornou conhecido como "Hans Esperto". Ele respondia corretamente a questões simples de cálculo com o casco ou com a cabeça. Assim, ele batia oito vezes com o [seu] casco quando se fazia a ele a pergunta "Quanto é 3 mais 8?" Para esclarecer esse acontecimento incrível empregou-se até mesmo uma comissão de cientistas, na qual também devia estar incluso um filósofo. Eles descobriram que o cavalo não podia fazer contas. Ele, todavia, tinha condições de interpretar nuanças sutis na expressão facial e na linguagem corporal de suas contrapartes humanas. Evidentemente, ele registrava com uma sensibilidade sutil que o público presente adquiria involuntariamente uma postura tensa antes da batida de casco decisiva. Com essa tensão perceptível, o cavalo parava de bater [o casco]. Assim, ele sempre dava a resposta certa.

A parcela verbal da comunicação é muito pequena. As formas não verbais de expressão como gesticulação, expressões de rosto ou linguagem corporal constituem a comunicação humana. Elas lhe concedem a sua tatilidade [*Taktilität*]. Com tátil não se quer dizer o contato corporal, mas sim a pluridimensionalidade e multiplicidade de camadas da percepção humana, da qual fazem parte não apenas o visual, mas também outros sentidos. A mídia digital furta à comunicação a tatilidade e a corporeidade.

Por causa da eficiência e da comodidade da comunicação digital, evitamos crescentemente o contato direto com pessoas reais, e mesmo o contato com o real como um todo. A mídia digital leva o contraposto [*Gegenüber*] real cada vez mais ao desaparecimento. Ela o registra como resistência. Desse modo, a comunicação digital se torna cada vez mais sem corpo e sem rosto. O digital submete a tríade lacaniana do real, do imaginário e do simbólico a uma reconstrução radical. Ele desconstrói o real e *totaliza o imaginário*. O smartphone funciona como um espelho digital para a nova versão pós-infantil do estágio do espelho. Ele abre um espaço narcísico, uma esfera do imaginário na qual eu me tranco. Por meio do smartphone o *outro* não fala.

O smartphone é um aparato digital que trabalha com um modo de *input-output* pobre em complexidade. Ele abafa toda forma de negatividade. Desse modo se desaprende a *pensar* de um modo complexo. Ele também faz com que definhem formas de comportamento que demandam uma *amplitude* temporal ou uma *visibilidade ampla*. Ele demanda o curto prazo e oculta *o longo* [*Lange*] *e o lento* [*Langsame*]. O curtir sem lacunas produz um espaço da positividade. Por causa de sua negatividade a experiência enquanto irromper do *outro* interrompe o autoespelhamento imaginário. A positividade que habita o digital reduz a possibilidade de uma tal experiência. Ela promove o *igual*. O smartphone, como o digital em geral, enfraquece a capacidade de lidar com o negativo.

Antes, percebíamos o contraposto, a imagem, por exemplo, como mais dotada de rosto ou de olhar do que hoje, a saber, como algo que me olha, [como] o que persiste em uma autossustentabilidade, em uma autonomia ou em uma vida própria, [como] o que se contrapõe a mim como algo que perdura ou como um fardo. O contraposto tinha, antes, certamente mais negatividade, mais *contra* do que hoje. Hoje, desaparece cada vez mais esse contraposto dotado de rosto que me olha, me aborda ou me balança. Sartre relaciona o olhar não apenas aos olhos humanos. Antes, ele experiencia o próprio mundo como dotado de olhar. O *outro* como *olhar* está por toda parte. As próprias coisas nos olham: "Sem dúvida é o se virar de dois olhos para mim que *mais frequentemente* revela o olhar. Mas ele seria igualmente dado por ocasião de um farfalhar de galhos, por um barulho de passos seguido de silêncio, por uma folha de janela que está meio-aberta, pelo movimento leve de uma cortina"[24].

---

24 SARTRE, J.-P. *Das Sein und das Nichts* – Versuch einer phänomenologischen Ontologie [O ser e o nada – Ensaio

A comunicação digital é uma comunicação *pobre de olhar*. Em um ensaio por ocasião do décimo aniversário do Skype, o autor nota: "O videotelefone cria a ilusão da presença e tornou a separação espacial entre amantes mais suportável. Mas a distância que persiste é sempre perceptível – da maneira mais clara, talvez, em um pequeno deslocamento. Isso porque não é possível, no Skype, olhar um ao outro. Quando se vê nos olhos o rosto na tela, o outro crê que se olhe levemente para baixo, pois a câmera está instalada na extremidade superior do computador. A essa bela característica própria ao encontro imediato, de que ver a alguém é sempre também sinônimo de ser visto, se contrapõe uma assimetria do olhar. Graças ao Skype podemos estar próximos 24 horas por dia, mas olhamos continuamente um através do outro"[25]. Não é apenas a ótica da câmera que é responsável pelo ter--de-olhar-através-do-outro. Antes, ele aponta

---

de uma ontologia fenomenológica]. Hamburgo, 1952, p. 344.

25 *Süddeutsche Zeitung Magazin*, caderno 12/2013.

para o *olhar* fundamentalmente faltante, para o *outro* ausente. A mídia digital nos afasta cada vez mais do *outro*.

O olhar também é uma categoria central da teoria de imagens de Jacques Lacan. "Na imagem se manifesta certamente sempre um dotado de olhar [*Blickhaftes*]"[26]. O olhar é o *outro* na imagem, o outro que me olha, que me prende e me fascina. Ele é o *punctum* que rasga o tecido homogêneo do *studium*[27]. Como

---

26 LACAN, J. *Die vier Grundbegriffe der Psychoanalyse* [Os quatro conceitos fundamentais da psicanálise]. Weinheim u.a. 1987, p. 107.

27 *Punctum* e *studium* são dois conceitos que Roland Barthes usa em seu livro *A câmara clara* para descrever os dois elementos estruturais das fotos. Enquanto *studium* se referiria ao elemento da foto que gera o seu interesse geral ou seu "afeto médio", ou seja, o fato de nos interessarmos por ela de uma maneira genérica e não específica (como costumamos fazer com fotos de jornais, p. ex.), o *punctum* seria aquela marca da foto que faria com que criássemos uma relação pessoal com ela por haver algum detalhe, alguma particularidade dela que nos marca e que faz, assim, que lembremos da foto, com que ela se torne algo que se prende à nossa memória. Nesse sentido, o *punctum* "rasga" a homogeneidade do *studium* por levar para além do interesse pela foto como algo genérico (e nesse sentido homogêneo) e nos fazer perceber na foto algo de único, fazendo-nos reconhecê-la em sua singularidade e levando-nos a nos relacionarmos com ela como essa singularidade, ou, poder-se-ia dizer, como esse *outro*, justamente [N.T.].

olhar do outro, ele se opõe frente ao olho que se refestela na imagem. Ele perfura o *refestelar dos olhos* e coloca em questão a minha liberdade. A narcisificação da percepção leva o olhar, o outro, ao desaparecimento.

Passar o dedo pela *touchscreen* é um movimento que tem uma consequência na relação ao outro. Ele elimina aquela distância que constitui o outro em sua alteridade. Pode-se passar o dedo na imagem, tocá-la diretamente, porque ela já perdeu o olhar, o rosto. Com o *pinçar* [a imagem], eu disponho do outro. Descartamos o outro com o passar do dedo[28], a fim de deixar que nossa imagem espelhada se apresente. Lacan diria que o *touchscreen* se distingue da imagem como tela [*Schirm*] (*écran*), que me protege [*abschirmt*] do olhar do outro e, ao mesmo tempo, permite que ele transpareça. Poder-se-ia chamar o *touchscreen* do smartphone de *tela transparente*. Ele é sem olhar.

---

28 Possível referência a aplicativos de encontros como o Tinder, onde se recusa uma pessoa passando a sua foto para a esquerda [N.T.].

Não há um rosto transparente. O rosto que se deseja é sempre *opaco*. Opaco [*opak*] significa, literalmente, *sombreado* [*beschattet*]. Essa negatividade da sombra é constitutiva para o desejo. A *tela transparente* não permite nenhum desejo, que é sempre o desejo pelo outro. Justamente lá, onde há a sombra, também há o *brilho*. Sombra e brilho habitam o mesmo espaço. Eles são lugares do desejo. O brilho surge lá, onde a luz *se rompe*. Onde não há rompimento, [onde não há] quebradura, nenhum Eros, nenhum desejo tem lugar. A luz homogênea, plana e transparente não é o meio do desejo. A transparência significa o fim do desejo.

Leonardo da Vinci teria supostamente notado, sobre um retrato coberto: "Non iscoprire se liberta tè cara ché 'l volto mio è cárcere d'amore" (Não [o] descubra se tens amor à liberdade, pois meu rosto é o cárcere do amor)[29]. Esse ditado expressa uma experiência especial do rosto que hoje, na era do *Facebook*, não é mais possível. A *face* que se expõe e que

---

29 Apud em BREDEKAMP, H. *Theorie des Bildakts* [Teoria do Ato Imagético]. Berlim, 2013, p. 17.

anseia por atenção não é um *rosto*. Nela não habita nenhum *olhar*. A intencionalidade da *exposição* destrói aquela *interioridade*, aquela *reserva* que constitui o olhar. "Na realidade, ele não vê nada: ele *reserva* o seu amor e o seu medo para dentro: isso não é nada mais do que o OLHAR"[30]. A face exposta não é um contraposto dotado de rosto, que me atrai e me prende em seu fascínio. Assim, hoje, o cárcere do amor dá lugar ao inferno da liberdade.

---

30 BARTHES, R. *Die helle Kammer* [A câmara clara]. Frankfurt a. M., 1985, p. 124.

Fuga na imagem

Hoje, imagens [*Bilder*] não são apenas reproduções [*Abbilder*], mas também modelos [*Vorbilder*]. Refugiamo-nos nas imagens para sermos melhores, mais bonitos e mais vivos. Evidentemente, nos valemos não apenas da técnica, mas também de imagens para impulsionar a evolução. Seria possível que a evolução se apoiasse fundamentalmente em uma *imaginação* [*Ein-Bild-ung*], que o imaginário fosse constitutivo para a evolução? A mídia digital realiza uma *inversão icônica*, que faz com que as imagens pareçam mais vivas, mais bonitas e melhores do que a realidade deficiente percebida: "No olhar do cliente do café se percebe, não sem razão: 'Veja como você parece morto; em nosso tempo, as imagens são mais vivas do que os seres humanos'. Uma das marcas de nosso tempo é, talvez, essa inversão:

nossa vida segue um imaginário universalizado. Veja [por exemplo] os Estados Unidos: lá, tudo se transforma em imagens: há apenas imagens, apenas imagens são produzidas e consumidas"[31].

As imagens que, como reproduções, apresentam uma realidade otimizada, aniquilam justamente o valor icônico original da imagem. Elas são feitas de refém pelo real. Por isso, somos hoje, apesar ou justamente por causa da enxurrada de imagens, iconoclásticos. As imagens tornadas consumíveis destroem a semântica e a poética especiais da imagem, que é mais do que uma mera reprodução do real. As imagens são domesticadas ao serem tornadas consumíveis. Essa *domesticação das imagens* leva a sua *loucura* (*Verrücktheit*) ao desaparecimento. Assim, elas são retiradas de sua *verdade*.

A assim chamada *Síndrome de Paris* designa um distúrbio psíquico agudo que afeta principalmente turistas japoneses. Os afligidos sofrem de alucinação, desrealização, des-

---

31 Ibid., p. 129.

personalização, medo, assim como de sintomas psicossomáticos como tontura, suor ou taquicardia. O [seu] gatilho é a forte diferença entre a imagem ideal de Paris que os japoneses têm antes da viagem e a realidade da cidade, que se afasta enormemente da imagem ideal. Deve-se admitir que a tendência compulsiva, quase histérica, dos turistas japoneses de tirar fotos representa uma reação inconsciente de defesa, que visa banir a chocante realidade por meio de imagens. Fotos *belas*, como imagens ideais, os protegem da *realidade suja*.

O filme de Hitchcock *Rear Window* (em português *A janela indiscreta*) exemplifica a relação entre a experiência de choque por meio do *real* e a imagem como proteção. A proximidade sonora entre *rear* e *real* é um outro indício disso. A janela para o pátio é um *refestelar dos olhos*. O *fotógrafo* Jeff (James Steward), preso à cadeira de rodas, senta em frente à janela e se deleita com a vida burlesca de seu vizinho que se apresenta diante da janela. Um dia, ele pensa ter sido testemunha de um assassinato. O suspeito nota que ele é observado secretamente por Jeff, que mora em frente a ele. Nesse momento, ele *vê* Jeff. Esse assombroso *olhar do outro*, sim, o olhar vindo do *real*, destrói a *Rear Window* como refestelar dos olhos. Por fim, o suspeito, o *real assombroso*, entra em sua casa. Jeff, o fotógrafo, tenta ofuscá-lo com o *flash* da câmera, ou seja, bani-lo novamente da imagem, sim, mesmo *expulsá-lo*, o que, todavia, ele não consegue fazer. O suspeito, que se revela agora de fato como assassino, arremessa Jeff pela *janela*. Nesse momento, faz-se da *Rear Window* uma *Real Window*. A conclusão do filme: o *Real Window* se transforma novamente no refestelar dos olhos, no *Rear Window*.

Diferentemente do *Rear Window*, o perigo da irrupção do real, sim, do *outro*, não existe nas *Windows* digitais. Como janelas digitais, elas nos protegem mais efetivamente do *real* do que o *Rear Window*. Elas seguem o imaginário universalizado. A mídia digital cria mais distância do real do que mídias analógicas. É que há menos *analogia* entre o digital e o real.

Hoje produzimos, com a ajuda da mídia digital, imagens em quantidades gigantescas. Também essa produção massiva de imagens pode ser interpretada como uma reação de proteção e de fuga. Hoje a mania de otimização abrange também a produção de imagens. Em vista da realidade sentida como incompleta, nos refugiamos nas imagens. Não é com a ajuda de religiões, mas sim com técnicas de otimização que nos contrapomos a facticidades como corpo, tempo, morte etc. A mídia digital é *desfactizadora* [*defaktifizierend*].

A mídia digital não tem idade, destino e morte. Nela, o tempo mesmo é *congelado*. Ela é uma mídia atemporal. A mídia analógica *padece do tempo*. A *paixão* [*Passion*] é a sua forma de expressão: "não apenas a foto partilha do destino do papel (efêmero), ela não é nem um pouco menos mortal, mesmo quando ela é fixada em um material mais duro: assim como um organismo, ela nasce de grãos germinantes de prata, floresce por um instante, [apenas] para logo envelhecer. Assaltada pela luz e pela umidade, ela se desbota, se desgasta e desaparece [...]"[32]. Barthes liga à fotografia analógica uma forma de vida para a qual a *negatividade do tempo* é constitutiva. A imagem digital, em

---

32 Ibid., p. 104.

contrapartida, acompanha uma outra forma de vida, na qual tanto o vir a ser quanto o envelhecer, tanto o nascimento quanto a morte são apagados. Ela caracteriza uma presença [*Präsenz*] e um presente [*Gegenwart*] permanentes. A imagem digital não floresce ou reluz, pois a negatividade do murchar está inscrita no florescer e a negatividade da sombra, no brilho.

Do agir ao passar de dedos

O verbo para história é *agir*. Hannah Arendt o compreende como a faculdade [*Vermögen*] de "por um início [*initium*]", ou seja, permitir que algo novo, algo completamente outro comece. Ela eleva, aí, a natalidade, o ser-nascido [*Geborensein*] a condição ontológica para o agir. Todo nascimento promete um novo começo. Agir significa fazer um novo começo, deixar que um novo mundo comece[33]. Em vista dos processos automáticos aos quais o mundo está submetido, o agir equivale a um "milagre"[34]. Sua "capacidade [*Fähigkeit*] milagrosa" fundamentaria a "confiança" e a "esperança". Essa dimensão soteriológica do

---

33 ARENDT, H. *Vita activa oder Vom tätigen Leben* [*Vita activa* ou da vida ativa]. Munique, 1981, p. 18.

34 Ibid., p. 316.

agir não seria "em nenhum lugar mais sucinta e belamente expressa do que nas palavras com as quais os oratórios natalinos anunciam 'a boa-nova': 'Nasceu-nos uma criança'"[35].

Seria hoje o agir, naquele sentido enfático, ainda possível? O nosso fazer [*Tun*] não estaria entregue àqueles processos automáticos que também não se deixam mais interromper por meio de um milagre do novo começo radical e nos quais não somos mais sujeitos de nossas decisões? A máquina digital e a máquina do capital não se uniriam em uma sinistra aliança que aniquilaria completamente uma tal liberdade? Não viveríamos hoje no *tempo do morto-vivo*, no qual não apenas o *nascer*, mas também o *morrer* se tornaram impossíveis? A natalidade constitui o fundamento do pensamento político, enquanto a mortalidade apresenta o fato com o qual o *pensamento metafísico* se inflama. A *era digital do morto-vivo* é, vista desse modo, nem política nem metafísica. Ela é, antes, *pós-política* e *pós-metafísica*. A *mera* vida, que deve ser prolongada a todo preço, é

---

35 Ibid., p. 317.

sem nascimento e sem morte. O tempo do digital é uma era *pós-natalícia* e *pós-mortal*.

Vilém Flusser profetiza: o ser humano, com os seus aparatos digitais, vive já hoje a "vida intangível"[36] de amanhã. É característica a essa nova vida a "atrofia das mãos". Os aparatos digitais fazem com que as mãos murchem. Eles significam, porém, uma libertação do fardo da matéria. O ser humano do futuro não precisará mais de mãos. Ele não precisará mais *lidar* [*behandeln*][37] com alguma coisa e traba-

---

36 Traduzimos por "intangível" o termo alemão *undinglich*, que significaria, mais literalmente, "não coisal", "que não é como uma coisa", o que, no caso da citação em questão, parece se referir sobretudo ao fato dessa vida não se relacionar a objetos *tangíveis*, ou seja, a *coisas* concretas e reais cuja realidade e concretude possa ser sentida, e que sejam, nesse sentido, portanto, *tangíveis* – daí nossa opção de traduzir *undinglich* por *intangível*, uma tradução que também se sugere e parece encontrar sustentação no fato de que o autor relaciona o *undinglich*, logo a seguir, a uma atrofia das mãos, e portanto à não necessidade de usar as mãos, por se lidar com uma realidade que não precisa e não pode ser trabalhada pelas mãos, precisamente por não ser tangível [N.T.]

37 O autor joga com o fato de que o verbo alemão para *lidar*, *behandeln*, contém a palavra *Hand*, que significa, justamente, mão em alemão. O verbo alemão para agir, inclusive, é *handeln*, e será utilizado pelo autor logo a seguir na contraposição que ele faz entre o "agir" (*handeln*) e o

lhá-la [*bearbeiten*], pois ele não tem mais de lidar com coisas materiais, mas sim apenas com informações intangíveis. No lugar das mãos, entram os dedos. O novo ser humano *passa os dedos* [*fingern*], em vez de *agir* [*handeln*]. Ele quererá apenas jogar e aproveitar. Não o trabalho, mas sim o ócio caracterizará a sua vida. O ser humano do futuro intangível não será um trabalhador, um *homo faber*, mas sim o jogador, o *homo ludens*[38].

O "ser humano que passa os dedos sem mão" do futuro, o *homo digitalis*, não *age*. A "atrofia das mãos" o torna incapaz de ação [*handlungsunfähig*]. Tanto o tratamento [*Behandlung*] como o trabalho de algo [*Bearbeitung*] pressupõem uma resistência. Também a ação precisa superar uma resistência. Ela põe o outro, o novo contra aquilo que predomina. Nela

---

"passar de dedos" (*fingern*). Um jogo de palavras semelhante será feito ainda mais à frente no texto com as palavras *handlungsunfähig* ("incapaz de ação") e *Behandlung* ("tratamento", derivado, justamente, do verbo *behandeln*, assim como o substantivo para ação, *Handlung*, é derivado de *handeln*) [N.T.].

38 FLUSSER. *Medienkultur* [Cultura das mídias]. Frankfurt a. M., 1997, p. 188.

habita uma *negação*. O seu *a favor* [*Für*] é, ao mesmo tempo, um *contra* [*Gegen*]. A sociedade da positividade atual evita, porém, todas as formas de resistência. Ela suprime, desse modo, *ações*. Nela dominam apenas diferentes *estados do mesmo*.

Não parte do digital qualquer resistência material que se teria que superar por meio do trabalho. Desse modo, o trabalho se aproxima, de fato, do jogo. Mas em contraposição à visão de Flusser, a vida intangível, digital não introduz o tempo do ócio. Permanece oculto a Flusser o princípio do *desempenho*, que frustra novamente a aproximação entre trabalho e jogo. Ele priva o lúdico de todo jogo e o transforma novamente em trabalho. O jogador se dopa e se explora, até que ele se arruíne com isso. A era do digital não é uma era do ócio, mas sim do desempenho. O "ser humano sem mãos que passa os dedos", contra a visão de Flusser, não é um *homo ludens*. O próprio jogo se submete à coação do desempenho. À atrofia das mãos se segue uma *artrose dos dedos*. A utopia do jogo e do ócio de Flusser se mostra como a distopia do desempenho e da exploração.

O ócio começa lá, onde o trabalho cessa inteiramente. O tempo do ócio é um *outro* tempo. O imperativo neoliberal do desempenho transforma o tempo em tempo de trabalho. Ele totaliza o tempo de trabalho. A pausa é apenas uma *fase* do tempo de trabalho. Hoje não temos nenhum outro tempo senão o tempo de trabalho. Assim, o trazemos não apenas para as [nossas] férias, mas também para o [nosso] sono. Por isso dormimos inquietos hoje. Os sujeitos de desempenho esgotados adormecem do mesmo modo com que uma perna adormece. Também o relaxamento não é mais do que uma modalidade do trabalho na medida em que ele serve para a regeneração da força de trabalho. A recuperação não é o outro do trabalho, mas sim o seu *produto*. Também o assim chamado desaceleramento não pode gerar um outro tempo. Ele é, igualmente, uma consequência, um reflexo do tempo de trabalho acelerado. Ele apenas *diminui a velocidade* do tempo de trabalho, em vez de transformá--lo em um *outro tempo*.

Hoje somos, de fato, livres das máquinas da época industrial, que nos escravizavam e nos exploravam, mas os aparatos digitais produzem uma nova coação, uma nova exploração. Eles nos exploram ainda mais eficientemente na medida em que eles, por causa de sua mobilidade, transformam todo lugar em um local de trabalho e todo o tempo em tempo de trabalho. A liberdade da mobilidade se inverte na coação fatal de ter de trabalhar em todo lugar. Na era das máquinas, o trabalho, simplesmente por causa da imobilidade das máquinas, era delimitável em relação ao não trabalho. O local de trabalho, ao qual era preciso se dirigir por conta própria, se deixava separar claramente dos espaços de não trabalho. Hoje essa delimitação é completamente suprimida em algumas profissões. O aparato digital torna o próprio trabalho móvel. Todos carregam o trabalho consigo como um depósito de trabalho. Assim não podemos mais escapar do trabalho.

Dos smartphones, que prometem mais liberdade, parte uma coação fatal, a saber, uma coação da comunicação. Com isso se tem uma relação quase obsessiva, compulsória [*zwanghaft*] com o aparato digital. *Também aqui a liberdade se inverte em coação*. As redes sociais fortalecem enormemente essa pressão de comunicação. Ela resulta, em última instância, da lógica do capital. Mais comunicação significa mais capital. A circulação acelerada de comunicação e informação leva à circulação acelerada de capital.

A palavra "digital" aponta para o dedo (*digitus*) que, antes de tudo, *enumera* [*zählt*]. A cultura digital se baseia no dedo contador. A história, porém, é uma *narrativa* [*Erzählung*][39]. Ela não *enumera*. *Enumerar* é uma categoria pós-histórica. Nem tweets nem informações se reúnem em uma *narrativa*. Também o *mural* não narra nenhuma história de vida, nenhuma biografia. Ele é aditivo, e não narrativo. O homem digital *passa os dedos* no sentido de que ele enumera e calcula constantemente. O digital absolutiza o número e o enumerar. Também amigos no Facebook são,

---

39 Aqui, optamos por traduzir o verbo alemão *zählen* e seus derivados alternadamente por *enumerar* ou *contar* a fim de evitar ambiguidade, na qual "contar" poderia ser entendido no sentido de "contar uma história", *narrar*, que em alemão é, justamente, *erzählen*, e que é aquilo que o autor contrapõe, justamente, ao *zählen* enquanto mera enumeração [N.T.].

antes de tudo, *contados* [*gezählt*]. A amizade, porém, é uma narrativa. A era digital totaliza o aditivo, o enumerar e o enumerável. Mesmo tendências são contadas na forma de curtidas. O narrativo perde enormemente em significado. Hoje tudo é tornado enumerável, a fim de poder ser convertido na linguagem do desempenho e da eficiência. Assim, hoje, tudo aquilo que não é enumerável cessa de *ser*.

Do camponês ao caçador

"A mão age"[40], assim Heidegger caracteriza a essência da mão[41]. Mas ele não compreende o agir a partir da *vida activa*. A "mão propriamente agente" é, antes, "a mão que escreve"[42]. Assim, a sua essência não se manifesta como ação [*Handlung*], mas sim como manuscrito [*Handschrift*][43]. A mão é, para Heidegger, o *medium* para o "Ser", que designa a fonte fundamental do sentido e da verdade. A mão que escreve se comunica com o "Ser". A máquina

---

40 Em alemão "Die Hand handelt", sentença de Heidegger que explora o fato de que, em alemão, o verbo para agir, *handeln*, remete ao termo alemão para mão, *Hand* [N.T.].

41 HEIDEGGER, M. *Parmenides*. Frankfurt a. M., 1992, p. 125 [Gesamtausgabe vol. 54].

42 Ibid., p. 119.

43 Mais uma vez, em alemão, tanto o termo para ação, *Handlung*, como o termo para manuscrito, *Handschrift*, contém o termo para mão em alemão, *Hand* [N.T.].

de escrever, na qual apenas as pontas dos dedos são usadas, nos afasta do Ser: "A máquina de escrever vela a essência do escrever e da escrita. Ela afasta o ser humano do âmbito essencial da mão, sem que o ser humano experiencie e conheça devidamente essa referência, de modo que já aqui uma mudança da referência do ser à essência do ser humano aconteceu"[44]. A máquina de escrever leva a uma *atrofia da mão*, ao declínio da mão que escreve, sim, ao *esquecimento do Ser*. Sem dúvida, Heidegger teria dito que o aparato digital agrava ainda mais essa atrofia da mão.

A mão de Heidegger *pensa*, em vez de agir: "Todo movimento da mão em cada uma de suas obras se transporta pelo elemento, separa no elemento do pensamento. Toda obra da mão se baseia no pensamento"[45]. O pensamento é um trabalho ma-nual [*Hand-Werk*]. Assim, a atrofia digital da mão faria com que o próprio pensamento atrofiasse. É interessante

---

44 HEIDEGGER, M. *Parmenides*. Op. cit., p. 126.

45 HEIDEGGER, M. *Was heisst Denken?* [O que significa pensar?]. Tübingen, 1971, p. 51.

ver que Heidegger afasta a mão tão decididamente do agir e a aproxima do pensamento. Não o *ethos*, mas sim o *logos* constitui a sua essência. Heidegger pensa no *logos* da mão *coletora* [*lesenden*] de um camponês. "Sem esse coletar [*Versammeln*], quer dizer, sem a colheita [*Lese*] no sentido da colheita da espiga e do vinho, nunca conseguiremos [...] ler[46] [*lesen*] uma palavra"[47]. Heidegger faz, assim, com que o *logos* se apresente como *habitus* do camponês, que cuida da linguagem, a lavra e a ara como o solo, comunicando-se com a terra cerrada que se oculta e se expondo à sua incalculabilidade e ao seu velamento. Na medida em que ele a obedece, o camponês tem de ouvir a terra: "Se não faz parte imediatamente dos ouvidos o ouvir no sentido da aquiescência e da obediência, essa obediência [porém] tem, então, em geral imediatamente uma afinidade própria com o ouvir e com os ouvidos.

---

46 Aqui, Heidegger faz um jogo de palavras que explora o fato de que, em alemão, o verbo *lesen* significa tanto *ler* quanto *colher* [N.T.].

47 Ibid., p. 211s.

[...] Temos ouvidos porque podemos ouvir obedientemente e podemos, nessa obediência, ouvir a canção da terra, o seu estremecimento e o seu tremor, que, todavia, permanece intocável pelo barulho gigantesco que o ser humano promove por vezes em sua superfície explorada e abusada"[48].

Também o mundo de Heidegger, feito de "terra e céu, mortal e divino", é um mundo campestre. O ser humano, como "mortal", não é um agente. A ele falta a natalidade do novo começo. Também o seu Deus é um Deus dos camponeses que ouvem e que são obedientes. Ele tem seu lugar naquele "recanto divino" na "Floresta Negra", que se deve ao "habitar camponês"[49]. Em *A origem da obra de arte*, Heidegger descreve a escola de Van Gogh como uma escola camponesa, no que ele glorifica o mundo camponês: "A labuta dos passos do trabalho encara da abertura escura do interior

---

48 HEIDEGGER, M. *Heraklit* [Heráclito]. Frankfurt a. M., 1979, p. 246s. [Gesamtausgabe, vol. 55].

49 HEIDEGGER, M. *Vorträge und Aufsätze* [Conferências e artigos]. Pfullingen, 1985, p. 161.

externado do calçado. No peso brutamente sólido do calçado está reprimida a tenacidade do longo curso pelo sulco, longamente estendido e sempre igual, do campo, sobre o qual passa um vento áspero. [...] No calçado vibra o chamado da terra, a sua dádiva silenciosa do grão amadurecendo e sua autorrecusa inexplicada no ermo agreste do campo invernal"[50].

Em vez daquele vento áspero no campo, hoje assopra o temporal digital através do mundo como rede. O furacão do digital faz o "habitar" de Heidegger impossível. A "terra" do camponês heideggeriano é diametralmente oposta ao digital. Ela encarna o "essencialmente inacessível" e o "que se cerra essencialmente em si mesmo"[51]. O digital produz, em contrapartida, uma pressão por transparência. A "terra" se furta a toda e qualquer transparência. O seu cerramento [*Verschlossenheit*] é fundamentalmente estranho à informação. A informação é, segundo sua essência, algo que

---

50 HEIDEGGER, M. *Holzwege* [Caminhos de floresta]. Frankfurt a. M., 1972, p. 22s.

51 Ibid., p. 36.

existe abertamente ou que *deve existir abertamente*. O imperativo da sociedade da transparência diz: tudo tem de estar aberto como [a] informação, acessível a todos. A transparência é a *essência* da informação. Ela é, afinal, o modo de proceder da mídia digital.

A "verdade" de Heidegger ama se ocultar. Ela não se dispõe simplesmente. Ela tem de, primeiramente, ser "arrancada" de seu "velamento". A negatividade do "velamento" habita na verdade como o seu "coração"[52]. Ela pertence essencialmente a ela. Como "desvelamento", ela é envolta pelo velado como a clareira é velada pela floresta escura. Falta à informação, em contrapartida, o *espaço interior*, a *interioridade* que a permitiria *se retirar* ou *se velar*. Nela não bate, Heidegger diria, nenhum *coração*. Uma pura positividade, uma pura exterioridade caracteriza a informação.

A informação é cumulativa e aditiva, enquanto a verdade é exclusiva e seletiva. Diferentemente da informação, ela não produz

---

52 HEIDEGGER, M. *Zur Sache des Denkes* [Sobre a questão do pensar]. Frankfurt a. M., 1972, p. 22s.

nenhum monte [*Haufen*]. É que não se é confrontado com ela frequentemente. Não há massas de verdades, [mas] há, em contrapartida, massas de informação. Sem a negatividade se chega a uma massificação do positivo. Por causa da sua positividade, a informação também se distingue do saber. O saber não está simplesmente disponível. Não se pode simplesmente encontrá-lo como a informação. Não raramente, uma longa experiência o antecede. Ele tem uma temporalidade completamente diferente do que a informação, que é muito curta e de curto prazo. A informação é explícita, enquanto o saber toma, frequentemente, uma forma implícita.

Terra, Deus e Verdade pertencem ao mundo do camponês. Hoje não somos mais camponeses, mas sim caçadores. Em busca por presas, os caçadores de informação rondam pela rede como por um campo de caça digital. Diferentemente do camponês, eles são móveis. Nenhum campo de cultivo os obriga a se assentar. Eles não *habitam*. O ser humano na era das máquinas ainda não está completamente liberto do *habitus* ["hábito"] do camponês na medida em que ele ainda está ligado à máquina como seu novo senhor. Ela o obriga a *funcionar* passivamente. O trabalhador retorna à máquina como o servo retorna ao senhor. A máquina fornece o centro de seu mundo. A mídia digital produz uma nova tipologia do trabalho. O trabalho digital ocupa o centro. Dito mais exatamente, não há mais aqui nenhum centro. O usuário e o seu aparato digital formam, muito antes, uma unidade. Os novos caçadores não funcionam passivamente como parte de uma máquina, mas sim *operam* ativamente com os seus aparatos móveis digitais, que se chamavam, no paleolítico, de lanças, arcos e flechas. Eles não se encontram, ao fazê-lo, em perigo, pois caçam por informação com o *mouse*. Nisso eles se distinguem dos caçadores do paleolítico.

Poder e informação não combinam um com o outro. O poder gosta de se ocultar no segredo. Ele inventa a *verdade*, a fim de se entronar e se inaugurar. O poder, assim como o segredo, é caracterizado pela *interioridade*. A mídia digital, em contrapartida, é *desinteriorizante* [*entinnerlichend*]. As instâncias de poder aparecem aos caçadores de informação como barreiras para a informação. Assim, a demanda por transparência é a sua estratégia.

Mídias de massa como o rádio fundamentam uma relação de poder. Seus destinatários recebem passivamente uma *voz*. A comunicação ocorre passivamente aqui. Essa comunicação assimétrica não é comunicação em sentido próprio. Ela se assemelha a uma anunciação. Por isso, tais mídias de massa têm uma afinidade com o poder e com o domínio. O poder impõe a comunicação assimétrica. Quanto maior o grau de assimetria, maior o poder. A mídia digital gera, em contrapartida, uma relação genuinamente comunicativa, isto é, uma comunicação simétrica. O destinatário da informação é, ao mesmo tempo, o remetente. Nesse espaço simétrico de comunicação é difícil instalar relações de poder.

Segundo Flusser, o furacão das mídias nos força a nomadizarmo-nos novamente. Nômades, porém, são domadores de gado. Falta a eles a mentalidade dos caçadores. A linha divisória entre o passado e o presente não se dá entre sedentários e nômades, mas sim entre camponeses[53] e caçadores. Mesmo o camponês se comporta hoje como caçador. Maneiras de se comportar como "paciência", "renúncia", "serenidade" [*Gelassenheit*], "timidez", "cuidado" [*Schonen*], que caracterizam o camponês de Heidegger, não pertencem ao *habitus* do caçador. O caçador de informação é impaciente e sem timidez. Ele espreita, em vez de "esperar". Ele agarra, em vez de deixar as coisas amadurecerem. O importante é, com cada clique, conquistar uma presa. O presente total é a sua temporalidade. Tudo que prejudica a sua visão deve ser tirado rapidamente do caminho. Essa visão total no campo de caça digital se chama transparência. Caçadores e coletores de informação são os habitantes da sociedade da transparência.

Os caçadores digitais de informação estarão sempre andando com os seus Google Glass. Esses óculos de dados substituem as lanças, os arcos e as flechas dos caçadores paleolíticos. O Google Glass liga o olho humano diretamente à internet. Seus usuários, por assim

---

53 Em alemão, o termo para camponês, *Bauer*, designa igualmente o fazendeiro, o *lavrador* [N.T.].

dizer, veem a tudo. Eles introduzem a era da informação total. O Google Glass não é um instrumento, não é uma "ferramenta" [*Zeug*], não é um "à mão" [*Zuhandenes*] no sentido heideggeriano, pois não se o toma à *mão*. O celular[54] seria ainda um instrumento. O Google Glass se aproxima tanto de nosso corpo que ele é percebido como parte do corpo. Ele completa a sociedade da informação ao fazer com que o *ser* coincida inteiramente com a informação.

O que não é informação não *é*. Graças aos óculos de dados, a percepção humana alcança uma eficiência total. Não apenas com cada clicar [*Klick*], mas também com cada olhar [*Blick*] se conquista presas. O ver do mundo coincide com o capturar do mundo. O Google Glass totaliza a ótica do caçador, que ignora tudo que não é presa, ou seja, que não promete informação. A felicidade animal da percepção, do ver, porém, consiste em sua ineficiência. Ela corresponde ao longo olhar que se demora nas coisas sem as explorar [*ausbeuten*].

---

54 Em alemão, o termo para celular, *Handy*, remete novamente à mão [N.T.].

Do sujeito ao projeto[55]

O *camponês* de Heidegger é um sujeito, o que significa, originalmente, *ser-submetido* [*Unterworfensein*] (*subject to*, *sujét à*[56]). O camponês se submete ao *nomos da terra*. A ordem terrena produz *sujeitos*. A "submissão" [*Geworfenheit*], segundo Heidegger, é a constituição fundamental da existência humana. Hoje será necessário se escrever novamente a ontologia existencial de Heidegger, pois se acredita agora não ser um sujeito submetido, mas sim um projeto que projeta e, sim, otimiza a si mesmo. O desenvolvimento do sujeito em projeto certamente já estava em curso antes da chegada da mídia digital. Mas vale universal-

---

55 Aqui, o autor faz mais um jogo de palavras, uma vez que sujeito, *Subjekt*, e projeto, *Projekt*, ambos têm a mesma terminação em alemão [N.T.].

56 Em português, sujeito a (algo ou alguém) [N.T.].

mente a fórmula: *Cada forma de ser ou de vida impõe, em suas fases críticas, modos de expressão que apenas são preenchidos em uma nova mídia.* Há uma dependência medial da forma de vida. Isso significa que é primeiramente a mídia digital que completa o processo no interior do qual o sujeito se aproxima do projeto. O digital é uma *mídia do projeto*.

Em vista da *Digital Turn* ("Virada Digital"), Flusser reivindica uma nova antropologia, uma antropologia do digital: "Não somos mais sujeitos de um mundo objetivo dado, mas sim projetos de mundos alternativos. A partir da posição submissa subjetiva, nos orientamos no projetar. Tornamo-nos adultos. Sabemos que sonhamos"[57]. O ser humano é, segundo Flusser, um "artista" que projeta mundos alternativos. A diferença entre arte e ciência desaparece. Ambos são projetos. Cientistas são, segundo Flusser, "artistas de computador [*Computerkünstler*] *avant la lettre*"[58].

---

57 FLUSSER. *Medienkultur* [Cultura de mídia]. Op. cit., p. 213.

58 Ibid., p. 214.

Estranhamente, Flusser funda a "nova antropologia" no "judaico-cristianismo", que "Vê no ser humano apenas pó"[59]. No universo puntiforme digital, todas as grandezas fixas se dissolvem. Não há nem sujeito nem objeto: "Não podemos mais ser sujeitos, pois não há mais objetos dos quais pudéssemos ser sujeitos, e nenhum núcleo duro que pudesse ser sujeito de algum objeto"[60]. O Si é hoje, segundo Flusser, apenas ainda um "ponto nodal de virtualidades que se cruzam". Também o Nós é um "nó de possibilidades": "Temos de nos entender como curvaturas ou como protuberâncias no campo de relações, sobretudo inter-humanas, que cruzam umas com as outras. Também nós somos 'computações digitais' de possibilidades puntiformes zumbidoras"[61]. O messianismo digital de Flusser não faz justiça à topologia atual da conexão digital. Ela não consiste de pontos desprovidos de si e de cruzamentos, mas sim de ilhas narcisistas de egos.

---

59 Ibid., p. 212.

60 Ibid., p. 213s.

61 Ibid., p. 212.

Os primórdios da comunicação foram dominados como um todo por utopismos. Assim, também Flusser tem em mente uma antropologia idealizada do enxame criativo: "Seria o homem telemático um começo de uma antropologia que diz que ser humano é ser um telemático ser-conectado com outros, um reconhecimento recíproco que tem como fim a aventura da criatividade?"[62] Flusser eleva repetidamente a comunicação em rede ao religioso. A ética telemática da conexão corresponderia ao "judaico-cristianismo em sua demanda pelo amor ao próximo". Flusser vê na comunicação digital um potencial messiânico que a torna útil para "a profunda demanda existencial do ser humano pelo reconhecimento e pelo autoconhecimento no outro, em suma [para a demanda] pelo amor no sentido judaico-cristão"[63]. De maneira correspondente, a comunicação digital promove um tipo de

---

62 FLUSSER. *Kommunikologie weiter denken* – Die Bochumer Vorlesungen [Continuar a pensar a comunicologia – As preleções de Bochum]. Frankfurt a. M., 2009, p. 299.

63 FLUSSER. *Kommunikologie* [Comunicalogia]. Frankfurt a. M., 1998, p. 299.

sociedade pentecostal. Ela liberta o ser humano do Si isolado para si e cria um *espírito*, um *espaço de ressonância*: "A rede vibra, ela é um *pathos*, é uma ressonância. Essa é a base da telemática, essa simpatia e antipatia da proximidade. Penso que a telemática é uma técnica do amor ao próximo, uma técnica para a realização do judaico-cristianismo. A telemática tem a empatia como base. Ela aniquila o humanismo em nome do altruísmo. Só o fato de que essa possibilidade exista já é algo inteiramente colossal"[64]. A sociedade da informação é, segundo Flusser, uma estratégia para "desfazer a ideologia de um Si a favor do conhecimento de que existimos um para o outro e que ninguém existe para si mesmo". Ela produz "automaticamente" uma "anulação do Si a favor de uma efetivação intersubjetiva"[65].

A conexão digital não é, para Flusser, uma mídia da *busca compulsória* pelo novo, mas sim da "confiança", que empresta ao mundo

---

64 FLUSSER. *Kommunikologie weiter denken...* Op. cit., p. 251.

65 FLUSSER. *Medienkultur*. Op. cit., p. 146.

"um aroma", "um cheiro específico". A comunicação digital torna possível a experiência de uma proximidade afortunada, o instante afortunado (*kairos*), ao esconjurar a distância temporal-espacial. "Essa é a imagem que tenho: quando me comunico telematicamente com meu amigo em São Paulo, então não apenas o espaço se vela, e ele vem a mim e eu vou a ele, mas também o tempo se vela, o passado se torna futuro, o futuro se torna passado, e ambos se tornam presentes. Essa é a minha vivência da intersubjetividade"[66]. Esse *messianismo da conexão* não se confirmou. A comunicação digital, muito antes, faz com que a comunidade, o Nós eroda. Ela destrói o espaço público e aguça a individualização do ser humano. Não o "amor ao próximo", mas sim o narcisismo domina a comunicação digital. A técnica digital não é uma "técnica do amor ao próximo". Ela se mostra, muito antes, como uma máquina de ego narcisista. E ela não é uma mídia dialógica. O dialógico, pelo qual o

---

66 FLUSSER. *Kommunikologie weiter denken*... Op. cit., p. 251.

pensamento de Flusser é completamente determinado, prepondera demais sobre seu pensamento acerca da conexão [digital].

O *projeto* para o qual o sujeito se liberta se mostra hoje ele mesmo como figura de coação. Ele desdobra a coação na forma do desempenho, da auto-otimização e da autoexploração. Vivemos hoje em uma fase histórica especial, na qual a liberdade, ela mesma, provoca coações. A liberdade é, na verdade, *a* figura oposta da coação. Agora, essa figura oposta produz, ela mesma, coações. Mais liberdade significa, assim, mais coação. Isso seria o fim da liberdade. Assim nos encontramos hoje em um beco sem saída. Não podemos nem avançar nem retroceder. Essa dialética, da liberdade, prenhe de fatalidade, dialética que inverte essa liberdade em seu oposto, foge inteiramente a Flusser. O seu messianismo é responsável por isso. A sociedade atual não é uma sociedade do "amor ao próximo", na qual nos realizaríamos reciprocamente. Ela é, muito antes, uma sociedade do desempenho, que nos individualiza. O sujeito de desempenho explora a si mesmo até ruir. E ele desenvolve uma autoagressividade que não raramente desemboca no suicídio. O Si como belo projeto se mostra como *projétil*, que ele, agora, aponta contra si mesmo.

Nomos da Terra

No embalo do *Digital Turn*, deixamos definitivamente a terra, a ordem terrena. Somos assim libertos do peso e da imprevisibilidade da terra? A ausência de peso e a fluidez digital não nos fariam cair, muito antes, em uma insustentabilidade? Heidegger foi o último grande defensor da ordem terrena. A sua "terra" faz com que "toda intervenção apenas calculada se converta em uma destruição". A ordem digital totaliza justamente o calculável ou o aditivo. A ordem terrena se apoia em um fundamento firme [*festem*]. A sua lei se chama *Nomos*: "Convoco ao senhor sagrado dos mortais e dos imortais / o *nomos* celeste, o ordenador das estrelas; / do mar salgado rumorejante / e da Terra selo sagrado, / imutável e certo"⁶⁷. A ordem digital se despede definitivamente do *nomos* da Terra. Carl Schmitt louva a Terra antes de tudo por causa de sua firmeza, que permite demarcações e distinções claras. A ordem terrena consiste de muros, fronteira e fortes. Também o "caráter" firme, que escapa inteiramente ao *homo digitalis*, pertence à ordem terrena. A mídia digital se iguala, em contrapartida, àquele "mar", no qual não se pode "traçar nenhuma linha firme"⁶⁸.

Categorias como espírito, agir, pensar ou verdade têm seu lugar na ordem terrena. Elas deverão ser substituídas pelas categorias da ordem digital. No lugar da ação, entra a operação. Nenhuma decisão em sentido enfático precede a essa. A hesitação ou a vacilação, que seria constitutiva do agir, é percebida como um distúrbio operativo. Ela prejudica a eficiência. Operações são *actomes*, isto é, ações atomizadas no interior de um processo am-

---

67 Hymnos na *Nomos* [Hino ao *Nomos*]. In: ORPHEUS. *Altgriechische Mysterien* [ORFEU. Mistérios da Grécia antiga]. Munique, 1982, p. 107.

68 SCHMITT, C. *Nomos der Erde* [*Nomos* da Terra]. Berlim, 1950, p. 13s.

plamente automático, ao qual falta a amplidão temporal e existencial.

Também o pensamento em sentido enfático não é uma categoria do digital. Ele dá lugar ao calcular. Os passos aritméticos apontam para um modo de proceder inteiramente diferente do pensar. Eles são protegidos contra surpresas, rupturas ou acontecimentos. Também a verdade hoje soa anacrônica, em vista da transparência. Ela vive na negatividade da exclusão. Com a verdade se *põe*, no mesmo movimento, a falsidade. Uma decisão produz o verdadeiro e o falso ao mesmo tempo. Também a dicotomia de bom e mal se baseia nessa estrutura narrativa. Ela é uma *narrativa* [*Erzählung*]. Diferentemente da verdade, a transparência não é narrativa. Ela torna, de fato, translúcido, mas ela não é *esclarecedora*. A *luz*, em contrapartida, é um *medium* narrativo. Ela é *direcionada* e *direciona*. Assim ela aponta *caminhos*. O *medium* da transparência é a *radiação sem luz*.

Também o amor está atado à tensão negativa do ódio. Assim ele habita a mesma ordem que o verdadeiro e o falso ou que o bem e o mal. A negatividade se distingue do *curtir*, que é positivo e, por isso, acumulativo ou aditivo. Tanto aos amigos de Facebook como aos concorrentes falta a negatividade que distingue o "amigo" do "inimigo", no sentido de Carl Schmitt. Também proximidade e distância pertencem à ordem terrena. O digital aniquila a ambos a favor de uma ausência de afastamento [*Abstandslosigkeit*], que significa uma supressão simples da distância. A ausência de afastamento é uma grandeza positiva. Falta a ela a negatividade que caracteriza a proximidade. A distância está inscrita nela. A "dor da proximidade da distância"[69] é estranha à comunicação digital.

O espírito desperta em vista do *outro*. A *negatividade do outro* o mantém vivo. Quem se refere apenas a si mesmo, quem persiste em si mesmo é sem espírito. O espírito designa a capacidade "de suportar a negação de sua imediatidade individual, a dor infinita"[70].

---

69 HEIDEGGER, M. *Vorträge und Aufsätze*. Op. cit., p. 104.

70 HEGEL, G.W.F. *Enzyklopädie der philosophischen Wissenschaften im Grundrisse III, Die Philosophie des Geistes*

O positivo, que remove toda negatividade do outro, definha no "ser morto"[71]. Apenas o espírito que eclode de sua "relação simples a si"[72] tem *experiências*. Sem dor, sem negatividade do outro, no excesso da positividade, nenhuma *experiência* é possível. Viaja-se para tudo quanto é lugar sem se chegar a uma experiência. Conta-se sem parar, sem poder se narrar. Toma-se conhecimento [*Kenntnis*] de todas as coisas sem chegar a um reconhecimento [*Erkenntnis*]. A dor, esse sentimento ondulante em vista do *outro*, é o *medium* do espírito. *O espírito é dor*. A *Fenomenologia do espírito* de Hegel descreve uma *via dolorosa*. A fenomenologia do digital, em contrapartida, é livre da dor dialética do espírito. Ela é uma *fenomenologia do curtir*.

[Enciclopédia das Ciências Filosóficas em Compêndio III, Filosofia do Espírito]. Frankfurt a. M., 1970, vol. 10, p. 25. [Werke in 20 Bänden [Obra em 20 volumes].

71 HEGEL, G.W.F. *Wissenschaft der Logik II* [Ciência da Lógica II]. Hamburgo, 1932, p. 58.

72 HEGEL, G.W.F. *Enzyklopädie*. Op. cit.

Fantasmas digitais

Para Kafka, a carta aparece como um meio de comunicação inumano. Ela teria trazido um assustador arruinamento das almas ao mundo. Em uma carta, ele escreve a Milena: "Como se chegou à ideia de que seres humanos poderiam se relacionar uns com os outros por cartas! Pode-se pensar em uma pessoa distante e pode-se tocar uma pessoa próxima, todo o resto vai além da força humana"[73]. A carta se relaciona com fantasmas. Beijos escritos não chegam à sua destinação. No meio do caminho, eles são presos e esvaziados por fantasmas. A comunicação postal fornece sustento apenas para fantasmas. Por meio desse rico sustento eles cresceram em números de

---

73 KAFKA, F. *Briefe na Milena* [Cartas a Milena]. Frankfurt a. M., 1983, p. 302.

maneira inaudita. A humanidade luta contra isso. Assim eles inventaram trens e carros, a fim de "eliminar o máximo possível o fantasmagórico entre os seres humanos" e alcançar o "intercurso natural", a "paz das almas". O lado oposto seria, porém, muito mais forte. Assim, eles inventaram, depois do correio, o telefone e a telegrafia. Kafka, então, extrai disso a conclusão: "Os fantasmas não morrerão de fome, mas nós afundaremos"[74].

Os fantasmas de Kafka também inventaram, nesse meio-tempo, a internet, o smartphone, o e-mail, o Twitter, o Facebook e o Google Glass. A nova geração de fantasmas, a saber, os digitais, se tornam, assim diria Kafka, mais vorazes, mais audazes e barulhentos. As mídias digitais não iriam de fato "além da força humana"? Elas não levariam a um rápido, não mais controlável aumento dos fantasmas? Não desaprendemos com elas, de fato, a pensar em uma pessoa distante e a tocar uma pessoa próxima?

---

74 Ibid.

A *Internet das Coisas* produz novos fantasmas. As coisas, que antigamente eram mudas, começam, agora, a falar. A comunicação automática entre as coisas, que ocorre sem qualquer intervenção humana, fornecerá novo sustento para fantasmas. Ela é como que conduzida por mãos fantasmagóricas. Os fantasmas digitais cuidariam talvez para que tudo em algum momento saísse de controle. A narrativa *The Machine stops* [A máquina para], de E.M. Forster, antecipa essa catástrofe. Enxames de fantasmas arruínam o mundo.

A história da comunicação se deixa descrever como uma crescente iluminação da pedra. O meio ótico, que envia a informação na velocidade da luz, termina definitivamente a idade da pedra da comunicação. Mesmo o silício aponta ainda para o *sílex* latino, que significa seixo. A pedra surge frequentemente em Martin Heidegger, e, de fato, como exemplo favorito da "mera coisa". Ela é algo que se furta à visibilidade. Em uma preleção antiga, Heidegger observa: "[...] uma mera coisa, uma pedra, não tem luz em si"[75]. Dez anos mais tarde ele escreve no artigo sobre a obra de arte: "A pedra pesa e manifesta o seu peso. Mas enquanto esse peso nos pesa, ele recusa, ao mesmo tempo, todo penetrar nele"[76]. A pedra como *coisa* é uma figura contrária à transparência. Ela pertence à Terra, à ordem terrena, e representa o velado e o cerrado. Hoje, as coisas perdem cada vez mais em significado. Elas se submetem às *informações*. Essas, porém, apenas oferecem novo sustento a fantasmas: "Não a coisa, a informação é o econômico, social, político, concreto. Nosso ambiente se torna visivelmente mais fraco, nebuloso, espectral"[77].

A comunicação digital toma não apenas forma espectral, mas também viral. Ela é contagiante na medida em que ela ocorre imediatamente em planos emocionais ou afetivos. O *contágio* é uma comunicação pós-hermenêu-

---

75 HEIDEGGER, M. *Prolegomena zur Geschichte des Zeitbegriffs* [Prolegômenos à história do conceito de tempo]. Frankfurt a. M., 1979, p. 412 [Gesamtausgabe, vol. 20].

76 HEIDEGGER, M. *Holzwege*. Op. cit., p. 35.

77 FLUSSER. *Medienkultur*. Op. cit., p. 187.

tica, que não dá verdadeiramente nada a ler ou pensar. Ela não pressupõe nenhuma *leitura*, que se deixa acelerar apenas de maneira limitada. Uma informação ou um conteúdo, mesmo com significância muito pequena, se espalha rapidamente na internet como uma epidemia ou pandemia. Nenhuma outra mídia é capaz desse contágio viral. A mídia escrita é lenta demais para isso.

Como pedras e muros, o segredo pertence à ordem terrena. Ele não é compatível com a produção e disseminação aceleradas de informação. Ele é a figura contrária à comunicação. A topologia do digital consiste de espaços planos, lisos e abertos. O segredo, em contrapartida, dá a preferência a espaços que, com seus entalhes, masmorras, esconderijos, cavidades e oscilações, dificultam a disseminação de informações.

O segredo ama o silêncio. Assim, o secreto se distingue do fantasmagórico. Assim como o espetáculo, o espectral depende do ser e do ser visto. Por isso, os fantasmas são barulhentos. Fantasmagórico é o vento digital que assopra pela nossa casa: "Em todo o caso, o vento é para o nômade aquilo que o solo é para o sedentário. [...] Há algo fantasmagórico [...] nisso. O vento, esse fantasmagórico intocável que dá impulso aos nômades e a cujo chamado eles obedecem, é uma experiência que se tornou apresentável para nós como cálculo e computação"[78]. A sua alta complexidade faz das coisas digitais fantasmagóricas e as faz incontroláveis. A complexidade, em contrapartida, não é marca do segredo.

A sociedade da transparência tem o seu lado avesso ou invertido. Ela é, de certa perspectiva, um *fenômeno de superfície*. Por trás ou abaixo dela se abrem *espaços espectrais* que se furtam a toda transparência. O *Dark Pool*, por exemplo, designa o comércio anônimo com produtos financeiros. O assim chamado comércio de alta velocidade em mercados financeiros é, em última instância, um comércio com fantasmas ou entre fantasmas. São algoritmos e máquinas que se comunicam entre si e que conduzem guerras. Essas formas

---

78 Ibid., p. 156.

fantasmagóricas de comércio e de comunicação vão "além", como Kafka diria, "da força humana". Elas levam a acontecimentos espectrais imprevisíveis como o *Flash Crash*[79]. Os mercados financeiros atuais também gestam monstros que, por causa de [sua] complexidade mais elevada, podem fazer suas atrocidades [*Unwesen*] incontrolados. Chama-se *Tor* a, por assim dizer, rede subterrânea em que se pode circular de maneira inteiramente anônima. Ela é o *mar profundo digital* na rede, que se furta a toda visibilidade. Com a transparência crescente, também cresce a escuridão.

---

79 Quebra de trilhões das bolsas de valores norte-americanas que ocorreu em 2010 e que durou aproximadamente 36 minutos, considerada um dos episódios mais turbulentos da história do mercado financeiro norte-americano [N.T.].

Cansaço da informação

Era 1936 quando Walter Benjamin descreveu como "choque" a forma de recepção do filme. O choque tomou o lugar da *contemplação* enquanto postura de recepção frente a uma pintura. O choque, porém, não é mais adequado para a caracterização da percepção hoje. Ele é um tipo de reação imunológica. Nisso ele se assemelha à repulsa. As imagens não provocam hoje nenhum espanto. Mesmo imagens repulsivas devem nos entreter (como *Dschungelcamp*[80]). Elas são tornadas consumí-

---

80 *Dschungelcamp* ("acampamento na selva") é um apelido dado ao *reality show* alemão chamado *Ich bin ein Star – Holt mich hier raus* ("Eu sou uma estrela – tire-me daqui!"), no qual de 10 a 12 pessoas, geralmente famosas, ficam até duas semanas em um acampamento na selva, devendo conquistar a audiência e ficar o máximo possível no acampamento para serem eleitos como "rei" ou "rainha da selva", de modo semelhante ao Big Brother [N.T.].

veis. A totalização do consumo suprime toda forma de contração imunológica.

Uma defesa imunológica intensa sufoca a comunicação. Quanto menor a barreira imunológica, mais rápida se torna a circulação de informação. Uma barreira imunológica elevada torna a troca de informações mais lenta. Não a defesa imunológica, mas sim o *curtir* promove a comunicação. A rápida circulação de informações acelera também a circulação de capital. Assim, a supressão [da barreira] imunológica cuida para que massas de informação nos adentrem sem colidirem com uma defesa imunológica. A baixa barreira imunológica fortalece o *consumo* de informações. A massa de informação não filtrada faz, porém, com que a percepção seja embotada. Ela é responsável por alguns distúrbios psíquicos.

SFI (Síndrome da Fadiga da Informação), o cansaço da informação, é a enfermidade psíquica que é causada por um excesso de informação. Os afligidos reclamam do estupor crescente das capacidades analíticas, de déficits de atenção, de inquietude generalizada ou de incapacidade de tomar responsabilidades.

Em 1996 o psicólogo britânico David Lewis cunhou esse conceito. SFI se referia primeiramente àquelas pessoas que precisavam trabalhar profissionalmente por um longo tempo uma grande quantidade de informação. Hoje todos são vítimas da SFI. A razão disso é que todos somos confrontados com quantias rapidamente crescentes de informação.

Um dos principais sintomas da SFI é o estupor das capacidades analíticas. Justamente a capacidade analítica constitui o pensamento. O excesso de informação faz com que o pensamento definhe. A faculdade analítica consiste em deixar de lado todo material perceptivo que não é essencial ao que está em questão. Ela é, em última instância, a capacidade de distinguir o essencial do não essencial. A enxurrada de informações à qual estamos hoje entregues prejudica, evidentemente, a capacidade de reduzir as coisas ao essencial. É necessariamente própria ao pensamento, porém a negatividade da distinção da seleção. Assim, o pensamento é sempre *exclusivo*.

Mais informação não leva necessariamente a melhores decisões. Justamente devido à crescente massa de informação a faculdade do juízo definha hoje. Frequentemente, menos informação gera mais. A negatividade do deixar de fora e do esquecer é produtiva. Mais informação e comunicação não esclarecem o mundo por si mesmo. A transparência não torna também [por si mesma nada] clarividente. A massa de informação não produz por si mesma nenhuma verdade. Ela não traz nenhuma luz à escuridão. Quanto mais informação é liberada, mais o mundo se torna não abrangível, fantasmagórico. A partir de um determinado ponto, a informação não é mais informativa [*informativ*], mas sim deformadora [*deformativ*], e a comunicação não é mais comunicativa, mas sim cumulativa.

Ao cansaço da informação também pertencem sintomas que são característicos da depressão. A depressão é, sobretudo, uma enfermidade narcisista. A autorreferência exagerada e doentiamente sobrecarregada leva à depressão. O sujeito narcisista-depressivo sente apenas a reverberação de si mesmo. Há significado apenas lá, onde ele de algum modo se reconhece.

O mundo aparece a ele apenas sob a sombra do Si. No fim, ele se afoga em si mesmo, esgotado e cansado de si mesmo. A nossa sociedade hoje se torna cada vez mais narcisista. Mídias sociais como o Twitter ou o Facebook acentuam esse desenvolvimento, pois elas são mídias narcisistas.

Pertence ao quadro de sintomas da SFI também a incapacidade de tomar responsabilidade. A responsabilidade é um ato que está ligado a certas condições mentais e também temporais. Ela pressupõe, primeiramente, obrigatoriedade. Assim como o prometer ou o confiar, ela *estabelece um compromisso* [*binden*] com o futuro. Os meios de comunicação atuais promovem, em contrapartida, a não obrigatoriedade, a arbitrariedade e a duração de curto prazo. A absoluta prioridade do presente caracteriza o nosso tempo. O tempo é desmontado em uma mera sucessão de presentes disponíveis. O futuro definha, aí, em um presente otimizado. A totalização do presente aniquila as ações *que dão tempo* [*zeitgebenden*] como o [se] responsabilizar e o prometer.

Crise da representação

Roland Barthes descreve a fotografia como [a] "emanação do referente"[81]. A representação é a sua essência. De um objeto real, que já esteve uma vez aí, saíram raios que afetaram o filme. A fotografia conserva os rastros quase *materiais* do referente real. Ela tem o seu referente "sempre por consequência". A fotografia e o seu referente são "condenados à mesma imobilidade, que é própria ao amor ou à morte, em meio ao mundo movido"[82]. A fotografia e o seu referente estão "ligados um ao outro, membro por membro, como o condenado que, em certos tipos de tortura, era acorrentado a um cadáver, ou como um par de peixes

---

81 BARTHES. *Die helle Kammer*. Op. cit., p. 90.

82 Ibid., p. 13.

que só nadam juntos, como se estivessem unidos em um ato sexual eterno"[83].

A *verdade da fotografia* consiste, segundo Barthes, em que ela está fatídica e inseparavelmente ligada ao referente, ou seja, ao objeto real de referência, que ela expõe a *emanação do referente*. O amor e a fidelidade ao referente a caracterizam. A fotografia não é o espaço da ficção ou da manipulação, mas sim um espaço da verdade. Barthes fala da "obstinação do REFERENTE"[84]. "A câmara clara" gira em torno de uma fotografia invisível de sua mãe no jardim de inverno. A mãe é o referente pura e simplesmente, para quem vigora o seu luto e o seu trabalho de luto. A mãe é a *guardiã da verdade*.

Barthes tem evidentemente a pintura de René Magritte "Ceci n'est pas une pine" [Isto não é um cachimbo] em mente quando escreve: "A fotografia tem, por natureza, algo de tautológico: um cachimbo é, aqui, sempre um cachimbo"[85]. Por que ele reivindica tão enfati-

---

83 Ibid.
84 Ibid., p. 14.
85 Ibid., p. 13.

camente a *verdade* para a fotografia? Pressentiria ele o tempo vindouro do digital, no qual ocorreria a separação definitiva da representação do referente real?

A fotografia digital coloca a verdade da fotografia radicalmente em questão. Ela encerra definitivamente a era da representação. Ela marca o fim do real. Nela não está mais contida nenhuma referência ao real. Assim, a fotografia digital se aproxima novamente da pintura: "Ceci n'est pas une pipe". Como *hiperfotografia*, ela apresenta uma *hiper-realidade*, que deve ser mais real do que a realidade. O real existe nela apenas sob a forma da citação e do fragmento. As citações do real são referidas umas às outras e misturadas com o imaginário. Assim, a hiperfotografia abre um espaço *autorreferencial, hiper-real*, que está completamente desacoplado do referente.

A crise da representação fotográfica tem o seu correspondente na política. Em *Psicologia das massas*, Gustave Le Bon observa que os representantes no parlamento seriam os *servidores* da massa de trabalhadores. A representação política é *forte*. Ela está ligada imediatamente ao seu referente. Ela defende de fato os interesses da massa de trabalhadores. Hoje, a relação da representação está, como no caso da fotografia, tremendamente abalada. O sistema econômico-político se tornou autorreferencial. Ele não representa mais os cidadãos ou a esfera pública. Os representantes políticos não são mais percebidos como os servidores do "povo", mas sim como *servidores do sistema* que se tornou *autorreferencial*. É nessa autorreferencialidade do sistema que está o problema. A crise da política só se deixa superar por meio do seu re-acoplamento ao referente real, às pessoas.

As massas, que anteriormente conseguiam se organizar em partidos e que eram animadas por uma ideologia, deterioram-se agora em enxames de *unos barulhentos*, ou seja, em *Hikikomoris*[86] digitais para si isolados, que não formam nenhuma esfera pública e que não participam de nenhum discurso público. Ao sistema autorreferencial se contrapõem os indivíduos para si isolados, que não agem po-

---

86 Cf. nota 13 [N.T.].

liticamente. O *Nós* político, que seria capaz da ação em sentido enfático, desmancha-se. Que tipo de política, que tipo de democracia seria pensável hoje, haja vista a esfera pública em desvanecimento, haja vista a egoificação e a narcisificação crescentes do ser humano? Seria necessária uma *Smart Policy*[87] que tornaria as eleições, disputas eleitorais, o parlamento, ideologias e assembleias de membros completamente superficiais, uma democracia digital, na qual o botão de curtir substituiria completamente a cédula de votação? Para que são necessários partidos hoje, *se cada um é ele mesmo um partido*, se as ideologias, que formavam outrora um *horizonte* político, degeneram em incontáveis opiniões individuais e opções individuais? Em que medida a democracia é pensável também *sem discurso*?

---

87 Termo usado por empreendedores que defendem uma solução técnico-instrumental para questões de administração pública [N.T.].

De cidadãos a consumidores

Nos anos de 1970 houve nos Estados Unidos um sistema televisor com [uma] função interativa [chamada] QUBE (*question your tube* [questione a sua TV]). *Question* indica a possibilidade da interação. O sistema dispõe de um teclado, que permite, por exemplo, a escolha entre reproduções de diversas peças de roupas. Esse aparato faz possível um simples procedimento de escolha. Mostra-se na tela, por exemplo, candidatos para o posto de diretor de uma escola. Com uma tecla é possível se decidir a favor de um candidato.

Flusser distingue as decisões do sistema QUBE de decisões existenciais. Entre uma decisão existencial e as suas consequências imprevisíveis se estende um "abismo temporal e existencial"[88]. Não é possível fazer imediata-

---

88 Ibid., p. 129.

mente a experiência das consequências de minha decisão. Assim, toda decisão existencial está atada a dúvidas. A hesitação e a vacilação a acompanham. Flusser admite que o sistema QUBE nos permitiria decompor decisões existenciais em "decisões puntiformes e atômicas", a saber, em *actomos*, que são instantaneamente efetivos.

Partindo do sistema QUBE, Flusser retrata para si uma democracia futura. O sistema QUBE faria possível uma "democracia direta de vilarejo"[89]. Flusser tem em mente uma "democracia desideologizada", na qual tudo que conta é o saber e a competência: "isso significa que, no sistema QUBE, a competência de cada um dos participantes e o peso de cada competência, livre de toda ideologia, entra claramente na ordem do dia"[90]. Nessa democracia desideologizada, os políticos são substituídos por especialistas que administram e otimizam o sistema. Tanto representantes políticos como partidos seriam, então, superficiais.

---

89 Ibid.

90 Ibid.

Flusser liga, além disso, o sistema QUBE a uma forma utópica de vida, na qual o ócio e o engajamento político coincidem: "Para os assinantes do sistema QUBE, o ócio já é o lugar das verdadeiras decisões, a observação da tela é, para eles, o lugar do engajamento político, social e cultural, e o seu espaço privado é, para eles, a república, a coisa pública"[91]. Política é ócio. No belo futuro de Flusser, a participação política corre bem sem qualquer "discurso" cansativo e entediante. Hoje, aquele "sistema QUBE extremamente aprimorado no qual uma grande parte da humanidade participa", sobre o qual Flusser sonhava, tornou-se realidade. Ele torna possível escolhas digitais que ocorrem diariamente e de hora em hora. A política ocorre, então, por assim dizer, colateralmente. O botão de curtir é a cédula eleitoral digital. A internet ou o smartphone são o novo local de eleição. E o clique do mouse ou um rápido toque com o dedo substitui o "discurso".

A "democracia direta de vilarejo" de Flusser porta, como a sua ideia de conexão, tra-

---

91 Ibid., p. 132.

ços utópicos. Contrariamente à sua crença, a decisão política em sentido próprio é sempre uma decisão *existencial*. Aquelas "decisões puntiformes e atômicas", que são "instantaneamente efetivas", afundam para o nível de uma decisão de compra descompromissada e sem consequências. Já na tela do QUBE a distinção entre escolher e fazer compras é inteiramente suspensa. Escolhe-se como se compra. Assim, o ócio se mostra como *shopping* [fazer compras]. O seu sujeito não é o *homo ludens* [homem lúdico], mas sim o *homo oeconomicus* [homem econômico].

O fazer compras não pressupõe nenhum discurso. O consumidor compra aquilo que lhe apraz. Ele segue as suas inclinações individuais. O *Curtir* é o seu lema. Ele não é um *cidadão*. A responsabilidade pela comunidade caracteriza o cidadão. Ela falta, porém, ao consumidor. Na *ágora* digital, onde local de eleição e mercado, *polis* e economia se tornam o mesmo, eleitores se comportam como consumidores. É de se prever que a internet logo substituirá inteiramente o local de eleição.

Assim, eleições e compras ocorreriam, como no caso do QUBE, na mesma tela, ou seja, na mesma esfera de consciência. Propagandas eleitorais se misturariam com propagandas comerciais. Também o governar se aproxima do *marketing*. O questionário político se iguala, então, a uma pesquisa de mercado. As opiniões eleitorais serão descobertas por meio de *data mining* [mineração de dados]. Os votos negativos serão sanados por meio de propostas novas e mais atrativas. Aqui não somos mais agentes ativos, não somos cidadãos, mas sim consumidores passivos.

Protocolamento total da vida

No panóptico[92] digital não é possível nenhuma confiança – ela não chega nem mesmo a ser necessária. A confiança é um *ato de fé* [*Glaubenakt*], que se torna obsoleto em vista das informações facilmente disponíveis. A sociedade da informação descredita toda crença. A confiança torna possível relações com outros sem conhecimentos precisos sobre eles. A

---

92 Conceito criado pelo filósofo e jurista inglês Jeremy Bentham, em 1785, utilizado para descrever uma penitenciária ideal, em que todos os prisioneiros podem ser vigiados simultaneamente pelo vigia, sem que eles mesmos possam saber se estão sendo vigiados ou não, o que resultaria em eles se comportarem do modo desejado pelo vigia. O conceito, embora criado por Bentham, encontrou ampla repercussão devido a Foucault, para o qual a nossa sociedade se organizaria, de certo modo, de acordo com as demandas que se encontram por trás do ideal do panóptico, quais sejam, as demandas de uma vigilância de todos por todos que visaria a que os sujeitos se comportassem da maneira desejada pelo poder [N.T.].

possibilidade de uma aquisição rápida e fácil de conhecimento é prejudicial à confiança. A crise de confiança atual é, vista desse modo, também medialmente condicionada. A conexão digital facilita a aquisição de informação de tal modo que a confiança, como práxis social, perde cada vez mais em significado. Ela dá lugar ao controle. Assim, a sociedade da transparência tem uma proximidade estrutural à sociedade de vigilância. Onde se pode adquirir muito rápido e facilmente informações, o sistema social muda da confiança para o controle e para a transparência. Ele segue a lógica da eficiência.

Todo clique que eu faço é salvo. Todo passo que eu faço é rastreável. Deixamos rastros digitais em todo lugar. Nossa vida digital se forma de modo exato na rede. A possibilidade de um protocolamento total da vida substitui a confiança inteiramente pelo controle. No lugar do Big Brother, entra o Big Data. O protocolamento total e sem lacunas da vida é a consumação da sociedade de transparência.

A sociedade de vigilância digital apresenta uma estrutura especial panóptica. O panóptico de Bentham consiste de células isoladas umas das outras. Os prisioneiros não podem se comunicar uns com os outros. As divisórias cuidam para que eles não possam ver uns aos outros. Tendo por finalidade o melhoramento, eles são expostos à solidão. Os habitantes do panóptico digital, em contrapartida, se conectam e se comunicam intensamente uns com os outros. Não o isolamento espacial e comunicativo, mas sim a conexão e a hipercomunicação que tornam o controle total possível.

Os habitantes do panóptico digital não são prisioneiros. Eles vivem na ilusão da liberdade. Eles abastecem o panóptico digital com informações que eles emitem e expõem voluntariamente. A autoexposição é mais eficiente do que a exposição por meio de outro. Aí reside um paralelo com a autoexploração. A autoexploração é mais eficiente do que a exploração por outro porque ela é acompanhada do sentimento de liberdade. Na autoexposição a exibição pornográfica e o controle panóptico coincidem. A sociedade de controle tem a sua consumação lá, onde os habitantes se comunicam não por coação exterior, mas sim por carência interna, onde, então, o medo de ter de abdicar de sua esfera privada e íntima dá lugar à carência de se colocar desavergonhadamente à vista, ou seja, onde a liberdade e o controle são indistinguíveis.

A vigilância e o controle são uma parte *inerente* da comunicação digital. O característico ao panóptico digital consiste em que a distinção entre o Big Brother e os prisioneiros dilui-se cada vez mais. Aqui, todos observam e vigiam a todos. Não são apenas serviços secretos do governo que nos espionam. Empresas como o Facebook ou o Google trabalham elas mesmas como serviços secretos. Elas expõem a nossa vida para conseguir capital em troca das informações espionadas. Firmas espionam os seus funcionários. Bancos examinam a fundo potenciais clientes de crédito. O *slogan* da Schufa[93], "Nós criamos confiança", é puro cinismo. Na realidade, ela desfaz inteiramente a confiança e a substitui pelo controle.

---

93 Agência de crédito privada alemã que coleta informações sobre credores para vendê-las para seus clientes a fim de protegê-los de risco de créditos [N.T.].

"Oferecemos-lhes uma visão de 360 graus de seus clientes." Com esse *slogan* a empresa norte-americana de Big Data Acxiom se anuncia para contratos. Acxiom é uma das firmas de dados que se multiplicam explosivamente hoje. A Acxiom dispõe de um gigantesco armazém de dados com milhares de servidores. A sua sede no estado americano do Arkansas é protegida e fortemente vigiada como um prédio do serviço secreto. A empresa tem dados pessoais de por volta de 300 milhões de cidadãos norte-americanos, ou seja, de praticamente todos. Evidentemente, a Acxiom sabe mais sobre os cidadãos norte-americanos do que o FBI ou o IRS (o serviço norte-americano de imposto de renda).

O lado econômico da espionagem se tornou, nesse processo, difícil de se demarcar em relação a seu uso pelo serviço secreto. O que a Acxiom faz não se distingue fundamentalmente da atividade de um serviço secreto. A Acxiom claramente trabalha mais eficientemente do que o serviço norte-americano. No contexto da investigação do ataque terrorista de 11 de setembro de 2001, a Acxiom ofereceu para os órgãos públicos dados de caráter pessoal de 11 suspeitos. O mercado de vigilância no Estado democrático tem uma proximidade perigosa do Estado de vigilância digital. Na sociedade de informação contemporânea, na qual o Estado e o mercado se fundem cada vez mais, as atividades da Acxiom, do Google e do Facebook se aproximam das atividades de um serviço secreto. Frequentemente, eles se servem da mesma equipe. E algoritmos do Facebook, de bolsas e de serviços secretos executam operações semelhantes. Aspira-se em todo lugar a uma exploração máxima da informação.

Por meio de uma adaptação nada espetacular do protocolo de internet versão 6, o número de endereços de web disponíveis hoje é praticamente ilimitado. Assim, é possível dotar qualquer coisa do dia a dia com um endereço de internet. Os Chips-RFID (Identificação por Radiofrequência) fazem das próprias coisas remetentes e agentes ativos da comunicação, que podem enviar informações e comunicar-se entre si autonomamente. Essa internet das coisas é a consumação da sociedade de controle. Coisas que nos cercam, que nos observam. Somos agora observados, desse modo, também pelas coisas que usamos todo dia. Elas enviam, sem pausa, informações sobre o nosso fazer e o nosso deixar [de fazer]. Elas participam ativamente do protocolamento total de nossa vida.

O Google Glass nos promete uma liberdade sem limites. O chefe da Google, Sergey Brin, deslumbra-se como o Google Glass poderia fazer imagens maravilhosas, graças à sua função de tirar uma foto automaticamente a cada 10 segundos. Essas imagens fantásticas não seriam de modo algum possíveis sem o Google Glass. Justamente esses óculos de dados tornam, porém, possível que sejamos permanentemente fotografados e filmados por estranhos. Com os óculos de dados, cada um praticamente carrega consigo uma câmera de vigilância. *Sim, os óculos de dados transformam o olho humano ele mesmo em uma câmera de vigilância*. O ver coincide inteiramente com a vigilância. Todos vigiam a todos. Todos são o Big Brother e o presidiário simultaneamente. Essa é a consumação digital do panóptico de Bentham.

Psicopolítica

Segundo Foucault, o poder se manifesta, desde o século XVII, não mais como o poder do soberano sobre a morte, mas sim como biopoder. O poder do soberano é o da espada. Ele ameaça com a morte. O biopoder, em contrapartida, trabalha com o "estímulo, [o] fortalecimento, [o] controle, [a] vigilância, [o] aumento e [a] organização das forças sujeitadas". Ele visa a "produzir forças, deixá-las crescer e organizá-las, em vez de coibi-las, dobrá-las ou aniquilá-las"[94]. O poder de morte do soberano dá lugar a uma administração e a um controle zelosos da população. O biopoder é, essencialmente, mais refinado, mais preciso do que o poder de morte, o qual, por causa de seu cará-

---

94 FOUCAULT, M. *Der Wille zum Wissen* – Sexualität und Wahrheit I [A vontade de saber – Sexualidade e verdade I]. Frankfurt a. M., 1977, p. 163.

ter rudimentar, não apresenta nenhum *poder de controle*. Assim, ele interfere nos processos e leis *biológicas* pelos quais a população é guiada e conduzida.

O controle biopolítico abrange, porém, apenas fatores externos como reprodução, taxa de mortalidade ou estado de saúde. Ele não está em posição de penetrar ou intervir na *psyche* da população. Também o Big Brother no panóptico de Bentham observa apenas o comportamento externo dos prisioneiros silenciosos e privados de fala. Os seus pensamentos permanecem ocultos a ele.

Hoje uma nova mudança de paradigma se realiza. O panóptico digital não é uma sociedade disciplinar biopolítica, mas sim uma sociedade da transparência psicopolítica. E, no lugar do biopoder, entra o *psicopoder*. A psicopolítica está em posição para, com ajuda da vigilância digital, ler e controlar pensamentos. A vigilância digital toma o lugar da ótica inconfiável, ineficiente e perspectivista do Big Brother. Ela é eficiente porque ela é *aperpectivista*. A biopolítica não permite nenhum acesso sutil à *psyche* de pessoas. O psicopoder, em contrapartida, está em condições de intervir nos processos psicológicos.

Há algum tempo, Chris Anderson, redator-chefe da *Wired*[95], publicou, sob o título de "The End of Theory" ["O fim da teoria"], um artigo bastante digno de nota. Ele afirma que a quantidade inimaginavelmente grande de informações tornaria modelos teóricos completamente superficiais: "Hoje, empresas como o Google, que cresceram em uma era de massas gigantescas de dados, não precisam se decidir a favor de modelos falsos. Elas não precisam nem mesmo mais se decidir a favor de nenhum modelo"[96]. A análise do Big Data dá a conhecer modelos de comportamento que também tornam prognósticos possíveis. No lugar de modelos teóricos hipotéticos, entra uma comparação direta de dados. A correlação substitui a causalidade, a questão do *por que*

---

[95] Revista de publicação mensal norte-americana de tecnologia, ciência, entretenimento, *design* e negócios [N.T.].

[96] *Wired Magazine* de 16/07/2008: "Today companies like Google, which have grown up in an era of massively abundant data, don't have to settle for wrong models. Indeed, they don't have to settle for models at all".

é assim [*Wieso*] se torna supérflua em vista do *é assim que é* [*Es-ist-so*]: "Chegou ao fim o tempo de toda a teoria do comportamento humano, desde a linguística até a sociologia. Esqueça a taxonomia, a ontologia e também a psicologia. Quem pode dizer por que o ser humano faz o que ele faz? Ele o faz simplesmente, e nós podemos medir e rastrear isso com uma exatidão sem igual. Quando há dados o suficiente, os números falam por si"[97]. A teoria é um constructo, um meio de auxílio, que compensa a falta de dados. Se há dados o suficiente, ela é, então, superficial. A possibilidade de decifrar modelos de comportamento a partir do Big Data enuncia o começo da *psicopolítica*.

Toda nova mídia revela um inconsciente. Assim, a câmera oferece a entrada para o "inconsciente ótico": "Sob o aumento do *zoom* o espaço se expande, sob a câmera lenta, o movimento. [...] Assim se torna palpável que é uma

---

97 "Out with every theory of human behavior, from linguistics to sociology. Forget taxonomy, ontology, and psychology. Who knows why people do what they do? The point is that they do it, and we can track and measure it with unprecedent fidelity. With enough data, the numbers speak from themselves."

outra natureza que fala com a câmera do que aquela que fala com o olho. Outra sobretudo pelo fato de que, no lugar de um espaço permeado pelo ser humano com consciência, entra um espaço permeado inconscientemente. [...] Se já nos é familiar, no [gesto] rudimentar de quando apanhamos um isqueiro ou uma colher, que dificilmente saibamos algo daquilo que ocorre entre a mão e o metal, muito menos sabemos como oscila tudo isso que diz respeito aos diferentes estados em que nos encontramos. Aqui, a câmera entra com os seus recursos, com as suas subidas e descidas, suas interrupções e isolamentos, suas expansões e tomadas do ocorrido, o seu aumentar e o seu diminuir. Ficamos sabendo do inconsciente ótico primeiramente por meio dela, como ficamos sabendo do inconsciente-pulsional por meio da psicanálise"[98].

A câmera é uma mídia que traz à luz algo que se furta aos olhos, a saber, o inconsciente ótico. O *Data-Mining* torna visível os modelos

---

98 BENJAMIN, W. *Das Kunstwerk im Zeitalter seiner technischen Reproduzierbarkeit* [A obra de arte na era de sua reprodutibilidade técnica]. Frankfurt a. M., 1963, p. 36.

coletivos de comportamento dos quais não se está, enquanto indivíduo, nem sequer consciente. Assim, ele torna acessível o *inconsciente-coletivo*. Em analogia ao inconsciente-ótico, pode-se também chamá-lo de *inconsciente-digital*. O psicopoder é mais eficiente do que o biopoder na medida em que vigia, controla e influencia o ser humano não de fora, mas sim *a partir de dentro*. A psicopolítica se empodera do comportamento social das massas ao acessar a sua lógica inconsciente. A sociedade digital de vigilância, que tem acesso ao inconsciente-coletivo, ao comportamento social futuro das massas, desenvolve traços totalitários. Ela nos entrega à programação e ao controle psicopolíticos. A era da biopolítica está, assim, terminada. Dirigimo-nos, hoje, à era da psicopolítica digital.

Para ver os livros de
BYUNG-CHUL HAN
publicados pela Vozes, acesse:

livrariavozes.com.br/autores/byung-chul-han

ou use o QR CODE

Conecte-se conosco:

- **f** facebook.com/editoravozes
- **◎** @editoravozes
- **𝕏** @editora_vozes
- **▶** youtube.com/editoravozes
- **☏** +55 24 2233-9033

www.vozes.com.br

Conheça nossas lojas:

www.livrariavozes.com.br

Belo Horizonte – Brasília – Campinas – Cuiabá – Curitiba
Fortaleza – Juiz de Fora – Petrópolis – Recife – São Paulo

EDITORA VOZES LTDA.
Rua Frei Luís, 100 – Centro – Cep 25689-900 – Petrópolis, RJ
Tel.: (24) 2233-9000 – E-mail: vendas@vozes.com.br